PEGGY GUGGENHEIM

Du même auteur

Deux amantes au Caméléon, roman, Paris, Gallimard, « Du monde entier », 2015.

L'Été d'après, roman, Paris, Baker Street, 2009.

Un homme changé, roman, Paris, Métailié, 2008.

Après, roman, Paris, Seuil/Métailié, 2003.

Blue Angel, roman, Paris, Métailié, 2001 ; « Points », 2008.

Visites guidées de l'enfer, roman, Paris, Métailié, 1999.

Bigfoot et moi, roman, Paris, Denoël, « Empreinte », 1998.

Des gens primitifs, roman, Paris, Denoël, « Empreinte », 1995.

Les Petits Miracles, roman, Paris, Denoël, « Empreinte », 1993.

Francine Prose

PEGGY GUGGENHEIM

Le choc de la modernité

Traduit de l'anglais (États-Unis)
par Olivier Lebleu

Tallandier

« Quand on écrit sur Peggy, il est important de suivre son propre instinct. N'écoutez pas les critiques, ils ne savent rien d'elle. Tout ce qu'on peut dire au sujet de Peggy, c'est qu'elle l'a fait, tout simplement. Quelles qu'aient été ses motivations, elle l'a fait. »

Lee KRASNER

« Je ne suis pas une collectionneuse d'art. Je suis un musée. »

Peggy GUGGENHEIM

*Peggy Guggenheim ajustant une sculpture mobile
d'Alexander Calder, dans les années 1950.*

Chapitre premier

L'Ange de la Cité

« Je commence à considérer Peggy
Guggenheim comme la dernière des
héroïnes transatlantiques d'Henry
James, une Daisy Miller avec plus de
couilles. »

Gore Vidal.

Le musée Peggy Guggenheim est visible depuis le
Grand Canal, depuis les bateaux privés et le *vaporetto*,
ce ferry public qui mène sa course serpentine à travers
Venise. La collection est installée dans le Palazzo Venier
dei Leoni, dont la construction débuta au XVIIIe siècle
et demeura inachevée, interrompue quelques décennies
avant les guerres napoléoniennes. De par sa façade en
pierre blanche, le bâtiment présente un aspect saisissant,
en partie parce qu'il est de plain-pied et si différent des
immenses palais raffinés de style gothique, Renaissance

ou baroque qui bordent le canal, et d'autre part parce que son élégance un peu sévère empêche de le situer dans le temps. Est-il du XVIIIᵉ siècle, est-il néoclassique ou moderne ? Ou est-ce plutôt un ancien temple romain mâtiné de ranch américain des années 1950 ?

Pendant trente ans, c'est ici que Peggy Guggenheim a vécu, qu'elle a installé l'une des plus grandes collections d'art moderne au monde – et ici que les œuvres demeurent, depuis sa mort en 1979. Parmi les artistes représentés, qu'elle a commencé à collectionner bien avant que l'importance et la valeur de leurs œuvres fussent largement ou tout à fait reconnues, on compte Picasso, Pollock, Brancusi, Arp, Braque, Calder, De Kooning, Rothko, Duchamp, Ernst, Giacometti, Kandinsky, Klee, Léger, Magritte, Miró, Mondrian, Man Ray, Henry Moore et Francis Bacon.

C'est Peggy qui décida d'installer *L'Ange de la Cité* (*L'Angelo della Città*), la sculpture créée par Marino Marini en 1948, au centre du parvis de sa maison, une volée de marches au-dessus du débarcadère qui fait face au Grand Canal et qu'il est presque impossible de ne pas remarquer lorsqu'on passe devant en bateau. Ce bronze montre une représentation très abstraite et stylisée d'un cheval et son cavalier, rappelant la statuaire étrusque. Le cou et la tête de la monture sont quasiment parallèles au sol. Le buste du cavalier se dresse à angle droit. Ses bras sont ouverts et tendus, la tête est renversée, comme en extase. Son corps arqué tend un sexe en érection. Les éléments visuels les plus frappants de la statue sont le cheval, le cavalier et ce pénis – précisément pointé vers l'extérieur, vers les bateaux et les passagers qui voyagent entre le musée et, de l'autre côté du Grand Canal, le bâtiment massif du Ca' Corner, qui abrite les bureaux de la préfecture. Dans ses mémoires, Peggy affirme que Marini avait conçu un phallus amovible et qu'elle le retirait chaque fois qu'on l'informait du passage de religieuses.

Peggy aurait pu sélectionner bien d'autres œuvres d'art moderne pour son débarcadère et le choix de cette pièce particulière, divertissant ou heurtant les officiels et les citoyens de Venise, raconte quelque chose de sa nature : de ce désir ironique et ludique de choquer qu'elle entretiendra toute sa vie. Mentor et conseiller de Peggy, l'historien et critique d'art Sir Herbert Read expliquait l'installation de la statue comme un défi lancé à son voisin le préfet.

Selon Peggy, le meilleur angle du cavalier est son profil, visible depuis la salle de séjour, où elle aimait s'asseoir et observer les réactions des visiteurs. Cette audace si caractéristique révèle les contradictions et l'ambivalence de Peggy, ce mélange particulier d'affection et de provocation. Venise est d'ailleurs une ville qu'elle aima profondément.

CHAPITRE II

Out of This Century[1]

En 1946, Peggy Guggenheim publie *Out of This Century*, un récit ironique et révélateur de sa vie jusqu'à cette date. Elle a 48 ans. À New York, sa galerie de musée d'avant-garde, Art of This Century, connaît un succès à la fois public et critique. Ouvert en octobre 1942, cet espace d'exposition novateur, situé sur la 57ᵉ Rue Ouest, est devenu un lieu de ralliement pour les plus importants artistes travaillant à New York, une vitrine pour les Européens exilés et les jeunes peintres américains talentueux.

L'un des assistants de Peggy, Marius Bewley, a consigné qui venait à la galerie, à quelle fréquence et pour combien de temps : Breton (« de nombreuses fois ») ; Tanguy (« souvent ») ; Fernand Léger, Ossip Zadkine et

---

1. Titre de sa première autobiographie (en référence au nom de sa galerie Art of This Century), traduite en France sous le titre *Ma vie et mes folies* en 2004. *(Toutes les notes en bas de page sont du traducteur.)*

Marc Chagall ; Matta, Pavel Tchelitchew (« beaucoup ») ; Duchamp (« fréquemment ») ; Man Ray (« une ou deux fois ») ; Barr (« fréquemment ») ; Kiesler, Alexander Calder (« tout le temps ») ; James Johnson Sweeney (« y passait ses journées ») ; Motherwell, Jean-Paul Sartre, [...] Pollock, Gypsy Rose Lee, David Hare, Clyfford Still, Herbert Read (« passa beaucoup de temps ») ; Mary McCarthy (« occasionnellement »), etc.

La galerie est en soi un exemple de ce qu'on appellera plus tard une « installation » et demeure un haut lieu de la culture à New York (et dans le monde entier) de 1942 à 1947. Les visiteurs peuvent y contempler des chefs-d'œuvre tels que *L'Oiseau dans l'espace* de Brancusi, des œuvres qui auraient peut-être survécu sans l'intervention de Peggy, mais qu'elle a néanmoins sauvées d'une Europe sombrant dans la Seconde Guerre mondiale, comme de nombreux autres exemples de ce que les nazis qualifiaient d'« art dégénéré ». À Art of This Century, on peut contempler le travail des surréalistes dans un cadre plus vivant et plus inspirant que n'importe quel autre musée ou lieu d'exposition.

Peggy n'est pas la première à présenter le surréalisme aux États-Unis : le MoMA[1] et des galeries privées ont déjà accueilli des expositions de ce courant artistique. Mais la galeriste déploie un talent particulier pour susciter les commentaires des critiques et attirer l'attention

---

1. Musée d'Art moderne et contemporain, inauguré en 1929 à New York.

Le groupe des « Artistes en exil » (New York, 1942).
En haut, de gauche à droite : Stanley William Hayter, Peggy Guggenheim,
Frederick Kiesler, Kurt Seligmann ; au milieu : Max Ernst, Amédée
Ozenfant, André Breton, Fernand Léger, Berenice Abbott ;
en bas : Jimmy Ernst, Leonora Carrington, John Ferren,
Marcel Duchamp, Piet Mondrian.

d'artistes plus jeunes. Peggy encourage et révèle le travail de cette nouvelle génération américaine, et c'est en partie grâce à elle que les artistes américains se dégageront de l'influence européenne. On ne peut que spéculer sur le cours qu'aurait suivi l'histoire de l'art moderne si Peggy n'avait pas commandé à Jackson Pollock une peinture murale pour le vestibule de son appartement de l'East Side – une œuvre qui contribuera à modifier la perception que Pollock et ses confrères avaient de la peinture.

En 1944, lorsque le critique d'art Clement Greenberg encourage son amie Peggy à écrire ses mémoires, la galerie ne requiert plus la présence constante de sa propriétaire, comme ce fut le cas au début. Son mariage avec Max Ernst a pris fin l'année précédente, lorsqu'il l'a quittée pour la peintre Dorothea Tanning. Peggy habite maintenant un *brownstone*[1] sur la 61ᵉ Rue Est, avec un riche collectionneur d'art britannique, Kenneth Macpherson, un homosexuel avec qui elle vit une histoire d'amour frustrante et compliquée. Son penchant pour les passades érotiques a pris une tournure frénétique, et sa fille Pegeen lui donne des motifs d'inquiétude : se révélant de plus en plus malheureuse et instable, celle-ci s'est retrouvée au Mexique dans une situation délicate, obligeant son père à venir à la rescousse. Peggy est également perturbée et déprimée par la guerre et les nouvelles venant d'Europe, où elle a passé la majeure partie de sa vie adulte,

---

1. Du nom du grès brun rosé qui couvre les façades de ces immeubles hauts et étroits, typiques de l'architecture new-yorkaise entre 1850 et 1890.

avant que l'occupation de la France par les nazis ne la contraigne à fuir en tant que juive américaine.

Encouragée par Greenberg, qui a réussi à convaincre l'éditeur Dial Press, et par son premier mari Laurence Vail, lui-même écrivain et qui a accepté de relire son manuscrit, Peggy commence à travailler sérieusement sur le projet de ses mémoires au cours de son séjour à l'hôtel Cherry Grave, sur Fire Island[1], à l'été 1944. Le critique littéraire Marius Bewley, qui travailla à la galerie de Peggy comme réceptionniste et assistant, se souvient qu'elle écrivait d'une traite, assise dans son lit, de trois phrases à une page. À partir de son retour de vacances, elle apporte tous les matins ce qu'elle a rédigé la veille sur un bloc-notes, à l'encre verte.

Peggy écrit à Laurence Vail que ce travail d'écriture non seulement lui permet d'oublier la guerre, mais qu'il est en vérité plus intéressant que sa propre galerie, devenue « ennuyeuse ». Elle promet (ou menace) d'écrire un livre tellement honnête que Laurence ne le lui pardonnera jamais, puis elle ajoute : « J'ai écrit 3 400 mots depuis 11 heures ce matin. » Dans un courrier adressé à son amie la diariste et romancière Emily Coleman, qui, ayant lu le journal intime de Peggy, la considère depuis longtemps comme une écrivaine douée, elle avoue qu'elle ne vit plus que pour son livre de souvenirs. Interviewée par *Time Magazine* après la publication, Peggy note qu'il est plus amusant d'être écrivaine que d'être une femme – une

---

1. Île de l'État de New York, située au sud de Long Island.

déclaration qui ne surprendra pas ses lecteurs, coutumiers du ton assuré et décontracté que Peggy a choisi pour raconter la saga de ses amours malheureuses.

C'est Vail qui lui a suggéré le titre *Out of This Century* – bien meilleur que l'idée originale de Peggy : « *Five Husbands et Some Other Men*[1] ». Édités sous un tel titre, ses mémoires auraient été encore moins pris au sérieux qu'ils ne l'étaient déjà. Ce choix initial révèle pourtant quelque chose de son personnage à ce moment de sa vie : cette tendance à se définir elle-même – et à établir son sentiment d'importance, d'estime de soi et d'identité – à partir des hommes qu'elle fréquente. Même si Peggy a toujours prétendu ne jamais vouloir publier des mémoires choquants, mais simplement sincères, il y a quelque chose de provocateur dans ce titre, qui est essentiellement une vantardise sur sa grande expérience sexuelle, avec des hommes pour la plupart célèbres.

À mesure qu'elle rédige chacun des chapitres, Peggy en confie les pages à Greenberg et Vail pour qu'ils lui transmettent leurs commentaires et leurs modifications. Elle consulte également le collectionneur d'art britannique Dwight Ripley et l'écrivain britannique James Stern. Mise en garde par les avocats de Dial Press sur le risque de quelque procès en diffamation, elle modifie le nom de certains (pas tous) de ses parents, amants ou amis, mais en leur attribuant des pseudonymes transparents qui masquent à peine leur véritable identité.

---

1. « Cinq maris et quelques autres hommes ».

Laurence Vail est devenu Florenz Dale ; sa deuxième épouse Kay Boyle, Ray Soil ; et la peintre Dorothea Tanning, Annacia Tinning. Toutefois, Max Ernst est resté Max Ernst, et le portrait que Peggy brosse de lui – en égocentrique, infidèle et cruel – est l'un des plus sévères de l'ouvrage.

De toute évidence, Peggy souffre encore de la douleur de leur séparation, et ces représailles littéraires vont perturber l'intéressé. Le fils de Max, Jimmy, qui est l'ami proche de Peggy, son confident, secrétaire et assistant à la galerie, se montre horrifié. Dans ses propres mémoires, *A Not-So-Still Life*[1], Jimmy Ernst raconte la dispute qui éclata entre eux lorsque Peggy lui montra le chapitre consacré à son père, tout en précisant que Max devait s'estimer chanceux qu'elle n'eût pas été plus explicite.

> J'étais consterné par cette méchanceté dévastatrice et je n'arrivais pas à croire qu'elle se fût permise de laisser libre cours à cet esprit de vengeance. Évitant à peine la vulgarité, ce passage ressemblait à un acte d'autoflagellation, tant il échappait à toute pensée rationnelle. C'était du pain bénit pour la presse à scandale et cela la blesserait presque autant que la victime désignée, mon père. [...] Par la suite, Peggy et moi ne nous revîmes plus pendant longtemps.

---

1. Jeu de mots sur l'adjectif *still*, indiquant « une vie pas si *tranquille* », tout en faisant référence à l'expression de « nature morte » (*still life*) en peinture.

Les craintes de Jimmy, du moins concernant la presse, se révèlent prémonitoires. Après sa publication en mars 1946, *Out of This Century* reçoit des critiques allant du négatif au venimeux – un accueil qui aurait sans doute découragé n'importe quel auteur de toute nouvelle tentative, mais pas Peggy, qui s'est alors forgé l'armure d'une femme dotée de la capacité étrange à réagir avec étonnement – et même un certain amusement – aux insultes et aux affronts que d'autres trouveraient intolérables.

Time Magazine juge que ses mémoires « trop francs » sont « aussi plats et dénués d'esprit qu'une version du *Liebestod*[1] à l'harmonica, mais livrent tout de même quelques révélations – entre deux pâmoisons de boudoir – sur certains des hommes qui font de l'art un mystère ». Pour le *New York Times*, dans un article intitulé « Par trop méchante[2] », E.V. Winebaum dénonce « des faits et gestes dignes de manchettes de tabloïds et rapportés dans de la prose pour tabloïds » et « l'absence singulière de grâce et d'esprit » avec laquelle Peggy raconte sa « série de liaisons internationales » et son « long défilé d'aventures amoureuses ». Finalement, Winebaum renonce à tenter de décrypter les motivations de Peggy : « Il est inutile de se demander ce qui

---

1. C'est à l'origine le titre (littéralement, « la mort de l'amour ») donné par Richard Wagner au *Prélude* de son opéra *Tristan et Isolde*.
2. Dans un français de cuisine : « *Mechante – and de Trop* ».

pousse une femme réputée à écrire un livre comme celui-ci. [...] Se sentir choqué serait tomber dans le piège si soigneusement et si consciemment tendu par l'auteur. » Le *Chicago Tribune* propose un titre plus approprié pour décrire ce recueil de « révélations nymphomanes » : au lieu d'*Out of This Century*, *Out of My Head*[1]. Dans *The Nation*, Elizabeth Hardwick déplore un « manque sidérant de sensibilité », un « vocabulaire limité », un « style primitif » et qualifie l'ouvrage de « pastiche involontairement comique d'une lecture pour élèves de primaire ».

Les amis et associés de Peggy montrent davantage de bienveillance. Fred Licht, l'ancien conservateur de la collection Guggenheim à Venise, écrit que ses livres « ne doivent pas être lus – comme le firent la plupart de ses critiques – comme les confessions d'une femme riche et volage cherchant à choquer les gens avec le nombre et la variété de ses amants. Ce sont plutôt des conversations destinées à des oreilles amicales et compréhensives. [...] Le tempo de sa prose, les digressions, les anecdotes distillées transmettent avec une grande précision le ton et le rythme de sa conversation. [...] Mais, surtout, ses autobiographies sont des exercices d'auto-ironie et pour se surprendre elle-même ».

La journaliste du *New Yorker* Janet Flanner, qui publia d'excellents essais sur la culture et la politique européennes sous le pseudonyme de « Genêt », se fait

---

1. Littéralement, « sorti de ma tête » ou « ayant perdu l'esprit ».

l'écho de Licht, se rappelant du livre « comme des sortes d'annales de sa vie sentimentale et privée qui, exactement comme je l'avais prévu, furent considérées comme scandaleuses. Le détachement dont elle faisait preuve en se retournant sur sa vie m'est apparu comme tout à fait remarquable et, à sa façon, plutôt admirable. Je sentais qu'elle disait la vérité ». Et Gore Vidal de commenter : « Ce que j'aimais vraiment chez Peggy, c'était son écriture. J'admire son style sans affectation, mais efficace. Elle était presque aussi bonne que Gertrude Stein. Chapeau bas ! Et beaucoup plus amusante. »

En dépit de ce *succès de scandale*[1], le livre se vend mal et ne sera pas réimprimé. Si la rumeur a couru que la famille Guggenheim avait payé des équipes de coursiers et de scouts pour acheter tous les exemplaires de la première édition – une rumeur que Peggy entretint elle-même –, aucun élément ne permit jamais de le prouver.

En 1959, plus de dix ans après la première publication de son livre, Peggy ferme sa galerie et quitte New York pour Venise, où elle a exposé sa collection à la Biennale de 1948 – une présentation révolutionnaire et controversée qui a lancé l'expressionnisme abstrait américain en Europe. Elle vient reprendre plus sérieusement en main sa vie, sa carrière et son patrimoine. Et commence à reconsidérer ce qui, dans la première version de son autobiographie, a tellement offusqué critiques et lecteurs.

---

1. En français dans le texte original.

Par la suite, elle présente une nouvelle édition de ses mémoires, *Confessions of an Art Addict*[1], une version condensée et expurgée qui se concentre sur sa carrière dans le monde de l'art et omet les détails plus sordides de sa vie amoureuse. Elle a rétabli les vrais noms de presque tous les personnages principaux, mais résumé ou simplement effleuré les circonstances dramatiques qui ont entouré la fin de son mariage avec Laurence Vail, puis de celui avec Max Ernst.

En révisant son ouvrage, Peggy n'a pu se résoudre à censurer certains des passages que d'autres avaient jugés, comme on dirait aujourd'hui, inappropriés (« Le jour où Hitler est entré en Norvège, j'ai pénétré dans l'atelier de Léger et acheté une superbe toile de 1919 pour 1 000 dollars. Il n'est jamais revenu du fait que je fus capable d'acheter des peintures un jour comme celui-là »). Mais elle a bien accepté de supprimer le compte rendu de ses passades et de ses douloureuses trahisons amoureuses.

Vingt ans plus tard, revenant sur ces deux premières versions de sa vie, elle se fait la réflexion suivante : « Il me semble avoir écrit le premier livre dans la peau d'une femme désinhibée et le second dans celle d'une dame qui essayait de se faire une place dans l'histoire de l'art moderne. C'est peut-être pourquoi les deux livres sont si différents. » Par conséquent, elle se décide pour une troisième tentative.

---

1. Littéralement, « Confessions d'une accro à l'art ».

Intitulé à nouveau *Out of This Century* et publié en 1979, l'année du décès de Peggy, ce troisième volume se lit comme l'œuvre d'une femme désinhibée qui a déjà assuré sa place dans l'histoire de l'art. Les révélations scandaleuses de la première édition ont été réinsérées, ainsi que la véritable identité de presque tous ses amis et ennemis, sans oublier le détail des insultes et des perfidies amoureuses que Peggy a endurées. Un chapitre supplémentaire (et assez magnifique) couvre ses dernières années à Venise, mettant le récit à jour.

À cette époque, Peggy Guggenheim semble avoir renoncé à se préoccuper de ceux qu'elle pourrait choquer ou offusquer ; elle ne poursuit même plus ce but. Elle s'attache plutôt à délivrer un compte rendu de sa vie aussi complet et sincère que possible – tout du moins, sa propre version de l'histoire. Dans certains cas, elle préfère privilégier l'anecdote amusante à la vérité. Elle raconte ainsi à ses lecteurs qu'après des semaines de totale impuissance, Jackson Pollock finit par peindre en seulement trois heures la composition murale destinée à orner le vestibule de son appartement sur la 61e Rue Est – alors qu'en réalité la réalisation prit beaucoup plus de temps et connut maintes retouches et discussions.

Marius Bewley eut beau prédire qu'*Out of This Century* finirait par être reconnu « comme un classique du genre, dans les milieux littéraires aussi bien qu'artistiques », ses mémoires ne furent jamais beaucoup lus et son talent en la matière jamais vraiment reconnu. Pourtant, ce dernier livre est aussi bien rédigé, original et intéressant que

Nightwood[1], le célèbre roman moderniste que l'amie de Peggy, Djuna Barnes, écrivit pour l'essentiel au cours de l'été que Peggy et elle passèrent ensemble dans la campagne britannique. Si on accusa Peggy d'avoir commis des exagérations, bousculé la chronologie et pris des libertés avec la réalité des faits, la vérité est que son autobiographie est plus amusante et incisive que beaucoup de ce qu'on écrivit sur elle, de son vivant ou après sa mort.

Out of This Century est un document remarquable. On y croise presque tous les artistes plasticiens qui comptèrent durant la première moitié du XXᵉ siècle, accompagnés d'un nombre impressionnant de romanciers, de biographes et de poètes célèbres. Cependant, cet ouvrage est bien plus que le Livre d'or, augmenté des commentaires, d'une hôtesse au portefeuille et au carnet d'adresses bien fournis.

Le style de Peggy est très informel et faussement improvisé. Ses lecteurs peuvent avoir le sentiment d'une femme excentrique et extrêmement drôle en train de leur parler directement de sa vie, disant tout ce qui lui passe par l'esprit, en s'autorisant des digressions et sans se préoccuper le moins du monde de savoir comment ses remarques (ou ses actions) seront interprétées ou jugées.

Le récit s'ouvre sur cette déclaration de l'auteur : « Je n'ai absolument aucun souvenir. » Son style quelque peu

---

1. *L'Arbre de la nuit*, préface de T.S. Eliot, traduit par Pierre Leyris (Paris, Seuil, 1957) ; réédité sous le titre *Le Bois de la nuit* dans la collection « Points roman » en 1986.

hésitant et minaudier, à la fois sophistiqué et spontané, ressemble vaguement (si tant est qu'on puisse le comparer) à la voix d'enfant sage de la narratrice dans *Two Serious Ladies*[1], l'excellent et très personnel roman que Jane Bowles (une autre amie de Peggy) publia en 1943. Dans son ouvrage, Peggy explique comment, jeune fille, elle fugue de la maison familiale en quête d'aventure et marche au hasard avant d'échouer dans un bar, dont les clients sont en réalité des gangsters. Elle leur raconte qu'elle est gouvernante à New Rochelle, mais lorsqu'ils décident de la ramener chez elle, elle prend peur et s'enfuit. Les lecteurs de *Two Serious Ladies* remarqueront aussitôt que cette anecdote ressemble à l'épisode vécu par l'une des héroïnes de Jane Bowles, Christina Goering. Il est fort possible que Peggy, lectrice à l'appétit vorace et aux goûts variés, se soit inspirée et laissé influencer par le roman de son amie, publié environ un an avant qu'elle-même ne se lance dans son propre projet littéraire.

Le photographe Roloff Beny a suggéré que la prose de Peggy est fortement influencée par *La coscienza di Zeno*[2] d'Italo Svevo. Peggy a connu le roman de Svevo grâce à l'auteur britannique John Ferrar Holms, qu'elle considérait comme la grande passion de sa vie. Et Peggy

---

1. *Deux Dames sérieuses*, publié par Gallimard en 1969, puis réédité en 2007 (coll. « L'Imaginaire »).

2. *La Conscience de Zeno*, roman psychologique italien de 1923, publié en France par Gallimard en 1927 dans une version abrégée, puis en 1954 en version intégrale.

connaissait beaucoup d'autres écrivains – James Joyce, Samuel Beckett et Mary McCarthy, pour ne citer que les plus connus.

Aujourd'hui encore, alors même que les confessions intimes et la télé-réalité ont mis la barre encore plus haut en matière de franche mise à nu, beaucoup de ce que raconte Peggy Guggenheim paraît toujours aussi hardi et audacieux. Si elle réfuta tout désir de choquer, il est cependant difficile de ne pas rester confondu devant certains passages, tels que cette description d'un avortement : « Je fus opérée dans un couvent par un merveilleux docteur russe du nom de Popoff. Les religieuses étaient strictes, sales et sans la moindre idée du pourquoi de ma présence chez elles. [...] Le docteur Popoff, réputé pour avoir été l'accoucheur des grandes-duchesses de Russie, reçut un jour l'une d'entre elles dans ce couvent pour un curetage, quand soudain, au milieu de l'opération, il se serait exclamé : *"Tiens, tiens, cette femme est enceinte[1]"*. » Ce qui rend le passage tellement troublant n'est pas seulement ce que Peggy nous raconte (même de nos jours, les femmes sont souvent réticentes à parler d'une interruption volontaire de grossesse) mais aussi, encore une fois, le ton qu'elle emploie – comme si cette opération, sans doute douloureuse et effrayante, n'avait été qu'une escapade divertissante.

Peggy Guggenheim semble être née avec, ou avoir développé très tôt, la nécessité de déstabiliser son audi-

---

1. La citation est en français dans le texte original.

toire – et cette impulsion ou compulsion lui rendit de bons services, puisqu'elle consacra son existence à révéler un art qui était véritablement nouveau et parfois dérangeant. Ce mélange idiosyncrasique de franchise et de réserve, de timidité et de besoin d'attention, l'a aidée à concilier le milieu de l'art du XXe siècle avec le monde du glamour, des potins et de la notoriété médiatique. Pour le meilleur ou pour le pire – pour le meilleur *et* pour le pire –, sa tendance à se mythifier, elle-même, ainsi que les artistes qu'elle représentait, a contribué à façonner le monde de l'art contemporain, à transformer les célébrités et les mondains en collectionneurs d'art.

Peu après la publication de la première version d'*Out of This Century*, Herbert Read, l'un des conseillers les plus influents de Peggy, qu'elle vénérait et appelait « Papa », lui envoya ses impressions de lecteur :

> Vous avez fait mieux que Rousseau et Casanova, alors qui serais-je pour critiquer *Out of This Century* ? Je l'ai trouvé tout à fait fascinant en tant que document – un document historique – et seule l'absence d'analyse introspective l'éloigne du document de psychologie humaine (du chef-d'œuvre ?), comme le *Nightwood* de Djuna Barnes. C'est pourquoi je songe davantage à Casanova qu'à Rousseau – attendez-vous à être qualifiée de Casanova au féminin ! C'est peut-être encore plus amoral que Casanova, qui, si j'ai bonne mémoire, a ses

petits moments de faiblesse, versant dans le dégoût de lui-même ou l'auto-apitoiement.

Passons sur le manque de tact de Read quand il compare Peggy défavorablement à Barnes (avec qui Peggy entretenait une amitié orageuse et se sentait en compétition, comme avec beaucoup de ses amis) et sur l'insulte à peine voilée quand il vante « la Casanova » d'être plus amorale que son modèle au masculin. Il se trouve que Read se trompe en ne trouvant au livre aucune dimension psychologique. Il s'agit en réalité d'un autoportrait incisif, empreint d'un exhibitionnisme calculé et à la fois involontairement révélateur.

On ne peut guère manquer de noter la détermination de Peggy à se montrer scandaleuse. Mais on risque de passer à côté du fait que ce ton « naturel » et candide appartient, au moins en partie, au personnage qu'elle a joué pendant des décennies, un rôle public qu'elle a adopté et qui, au fil du temps, s'est confondu avec son identité propre, comme cela arrive souvent. L'ingénue capricieuse et un brin loufoque que l'on découvre dans les pages de son livre – et qu'on pouvait découvrir en la rencontrant – n'était qu'une représentation partielle de la femme intelligente et déterminée qui travailla dur et surmonta tant d'obstacles (le moindre n'étant pas la misogynie qui, alors comme maintenant, régnait dans le milieu de l'art) pour parvenir à diriger des galeries, constituer sa collection, financer de bonnes causes politiques et soutenir une longue et remarquable liste d'artistes et d'écrivains. Il est clair également que Peggy décida, très tôt, que se plaindre ou pleurer était un sinistre embarras pour soi comme pour les autres, et qu'elle ferait tout son possible pour éviter de se poser en victime, facilement blessée ou fragile.

Plus on découvre la vie de Peggy, plus il devient facile de comprendre qu'elle a soigneusement élaboré ce personnage en réaction aux nombreux amis et amants qui la considéraient ouvertement comme physiquement ingrate, peu intelligente, dévergondée, avare, politiquement naïve, autocentrée – et beaucoup plus riche qu'elle ne l'était en réalité. Elle pouvait se montrer pénible et mesquine sur les questions d'argent, surtout quand elle sentait qu'on profitait d'elle. Par ailleurs, son fils et sa fille, Sindbad et Pegeen, eurent de bonnes raisons de penser qu'elle n'était une mère attentive que par intermittence. Mais elle était aussi fidèle, généreuse, courageuse et passionnée d'art, à la fois humble et astucieuse dans sa manière de rechercher conseils (et connaissances) auprès de conseillers plus expérimentés qu'elle. Selon l'artiste Matta, « Peggy choisissait ses amis et préférait les écouter, eux, plutôt que Merrill Lynch[1] ».

La petite sœur de Peggy, Hazel Guggenheim McKinley, a raconté que lorsqu'elle demanda à Peggy en 1969 de lui dédicacer un catalogue de l'exposition de sa collection au musée Solomon R. Guggenheim, celle-ci écrivit :

---

1. Célèbre banque d'investissement américaine, gérant les actifs de ses clients (dont Peggy Guggenheim).

« À Hazel, qui peint, de la part de sa sœur, qui écrit et collectionne. » Peggy Guggenheim se considérait comme une écrivaine et une collectionneuse, ce qu'elle était en effet. Ses mémoires dressent le portrait d'un personnage à la complexité fascinante – ce qui explique pourquoi, dans les pages qui suivent, je m'efforce le plus souvent de laisser le dernier mot à Peggy. Un principe qu'à n'en pas douter Peggy eût elle-même approuvé.

Chapitre III

Juin 1941

Marseille, juin 1941. Un groupe se retrouve pour dîner et boire, surtout boire, dans un café de la ville portuaire française. Dans des circonstances normales, compte tenu du type de personnes réunies, de leurs relations tortueuses, de leurs fidélités et rivalités fluctuantes, et des tumultes qu'elles ont traversés, l'atmosphère devrait être tendue. Mais les circonstances sont loin d'être normales.

Un an s'est écoulé depuis que les Allemands ont envahi la France. Il sera bientôt trop tard pour échapper à l'occupant nazi, et presque tous les invités au dîner ont désespérément besoin de fuir l'Europe. Leur insouciance coutumière est à ce point minée par l'angoisse qu'il suffirait d'un rien pour que leur petit comité d'élite ne se déchire dans le chaos et la violence.

Parmi les invités figurent deux artistes célèbres, Marcel Duchamp et Max Ernst. Le premier est accompagné de Mary Reynolds, une belle héritière et veuve de guerre, qui est sa maîtresse depuis des décennies et qui (seule parmi les expatriés américains réunis cette nuit-là) a décidé de rester en Europe et de travailler avec la Résistance française.

Max Ernst est assis à côté de Peggy Guggenheim, l'héritière américaine qui a commencé à s'établir sérieusement comme collectionneuse d'art, marchande et mécène d'art moderne. Depuis 1938, elle dirigeait avec succès une galerie londonienne, Guggenheim Jeune, qu'elle a fermée à l'approche de la guerre. À près de 40 ans, elle vient de trouver le moyen de transformer son intérêt pour l'art et les artistes en une profession, d'investir son argent, ses relations et ses privilèges dans un travail qu'elle aime et qu'elle estime – une position qui l'a introduite dans un milieu où peu de femmes sont admises, à moins de posséder une grande beauté, ce dont Peggy Guggenheim ne peut se vanter.

Quand elle avait une vingtaine d'années, elle a lu les œuvres de Bernard Berenson et voyagé en Europe, confrontant les théories de cet historien de l'art aux chefs-d'œuvre picturaux de la Renaissance. Mais, au cours des décennies suivantes, son attention fut monopolisée par les exigences d'un mariage malheureux, la naissance de deux enfants, la mort d'un amant, des aventures tumultueuses, une tragédie familiale, des fêtes jusqu'au bout de la nuit, des flots d'alcool, des périodes de voyage intenses, ponctuées d'intermèdes pendant lesquels elle a organisé et régné sur de grandes communautés bohèmes à Paris, à Londres et au milieu de belles campagnes anglaises ou françaises.

Bien que sa fortune ne soit pas aussi conséquente que celle d'autres membres de la famille Guggenheim, Peggy dispose d'assez d'argent pour vivre plus ou moins comme elle l'entend. Mais son désir de liberté (notamment sexuelle) est souvent entré en contradiction avec son besoin d'une relation amoureuse intense avec un mari ou un amant sérieux – aussi conflictuelle, désagréable ou même abusive que soit cette relation. Même ses relations amicales sont turbulentes. Tout au long de sa vie, Peggy entretiendra un grand nombre d'amitiés féminines intimes, aussi enivrantes, émotionnellement prenantes – et chronophages – que ses amours. Parmi ces amies figurent des écrivaines comme Djuna Barnes, Mary McCarthy, Emma Goldman, Emily Coleman et Antonia White, et des figures du monde de l'art, notamment Nellie van Doesburg et la critique d'art Jean Connolly. Malgré l'évidence de ces liens puissants, Peggy se montre ambivalente à l'égard de la gent féminine, affirmant dans ses mémoires : « Je n'aime pas beaucoup les femmes et préfère généralement la compagnie des homosexuels, à défaut des hommes. Les femmes sont si ennuyeuses. »

Si sa galerie Guggenheim Jeune transforme la scène artistique londonienne et établit la réputation de nombreux peintres et sculpteurs européens, elle ne sera jamais rentable. Selon Peggy, elle perd 6 000 dollars au cours de la première année d'activité. Mais son habitude d'acheter les œuvres de tous les artistes qu'elle expose lui permet de constituer sa collection privée. Et, au printemps 1941, elle se considère désormais comme davantage qu'une simple héritière mondaine férue d'art.

Juste au moment où elle découvre qu'acheter et collectionner de l'art peut offrir un sens à son existence et lui donner le courage d'être indépendante, les remous de l'Histoire la mènent à Marseille. Elle y tombe follement amoureuse de Max Ernst, le peintre surréaliste allemand connu pour ses fantasmagories d'oiseaux, pour ses jeunes et jolies petites amies, et pour son charme personnel irrésistible.

Peggy et Ernst se rencontrent brièvement à Paris dans l'atelier du peintre. Puis ils se retrouvent à Marseille, où Ernst habite Air-Bel, le manoir dans lequel le journaliste américain Varian Fry, responsable du Comité international de secours d'urgence, recueille les artistes réfugiés dont il s'efforce d'organiser la fuite. Avec le soutien de la femme du président Eleanor Roosevelt, des écrivains John Dos Passos et Upton Sinclair, Fry est arrivé en France avec une mallette contenant 3 000 dollars et une liste de 200 personnes – artistes, scientifiques, écrivains, musiciens et cinéastes – considérées comme en danger et contraintes de quitter l'Europe face au risque d'une arrestation par les nazis. Assisté de collaborateurs héroïques, doué d'une créativité et d'un courage personnel prodigieux, Fry est une sorte de Schindler des surréalistes, qui parviendra à sauver plus d'un millier de personnes.

Quelques années auparavant, les nazis ont organisé à Munich une exposition de l'art dit « dégénéré ». Parmi les peintres exposés, Klee, Kandinsky, Nolde et Chagall ; leurs collègues non allemands – Picasso, Matisse et Mondrian, entre autres – ont été fustigés par contumace. Il est donc évident pour les artistes européens que leur travail, et peut-être leur sécurité, peuvent être compromis si les Allemands gagnent la guerre. Max Ernst a déjà été enfermé deux fois en tant qu'« étranger indésirable » dans des camps d'internement français, puis emprisonné à nouveau par les nazis comme traître au peuple allemand.

Au début d'avril 1941, Peggy est invitée à venir fêter le 50e anniversaire d'Ernst dans un restaurant de marché noir à Marseille. À la fin de la soirée, quand Max lui demande quand ils pourront se revoir, Peggy le séduit par sa réponse directe et efficace, à défaut d'être subtile – une repartie, on peut l'imaginer, dont elle usa pour tous les hommes avec lesquels elle eut une aventure, selon une liste incluant Samuel Beckett, Yves Tanguy ou Jean Arp : « Demain à quatre heures au Café de la Paix, et vous savez pour quoi faire. »

Leur romance débute par un flirt. Mais Peggy tombe rapidement amoureuse de l'homme que l'historienne de l'art Rosamond Bernier a décrit comme « un croisement entre un noble oiseau de proie et un archange déchu ». Bien qu'initialement intrigué par l'héritière américaine sexuellement libérée, Ernst n'est pas amoureux. Son goût le pousse plutôt vers des femmes très jeunes et extrêmement jolies. Il n'a pas caché sa passion toujours vive pour la belle peintre Leonora Carrington, qui, au cours du second internement d'Ernst, a perdu la raison : elle a ouvert la cage à son aigle apprivoisé, vendu leur maison contre une bouteille de cognac et disparu dans un asile psychiatrique espagnol, où sa puissante famille britannique l'a fait enfermer.

Si Peggy adore Ernst, elle n'hésite pourtant pas à se l'aliéner en lui offrant une somme forfaitaire – 2 000 dollars, moins le prix de son passage vers les États-Unis – en échange de toutes ses premières toiles et le droit de choisir n'importe quelle nouvelle œuvre à son goût. C'est ajouter l'insulte à la provocation. Cette manière d'utiliser son argent pour exercer sa force et punir les hommes qui la maltraitent ou ne l'aiment pas assez est un mode de fonctionnement voué à l'échec, que Peggy a adopté et continuera d'appliquer dans ses relations amoureuses.

Contrairement à sa relation trouble et instable avec Ernst, l'amitié de Peggy avec Marcel Duchamp est simple et enrichissante. Peggy respecte Duchamp, autant que ses contemporains et ses confrères, sur lesquels il exerce une énorme influence humaine et esthétique. Elle achète ses œuvres et, de son côté, il l'introduit auprès de certains artistes et l'aide à en sélectionner d'autres pour sa galerie. Dans ses mémoires, Peggy remercie Duchamp pour lui avoir appris tout ce qu'elle sait sur l'art moderne. Durant la majeure partie de la carrière de Peggy, Duchamp continuera d'être l'un de ses conseillers les plus appréciés.

À ce fameux dîner marseillais se trouve également Laurence Vail, l'ex-mari de Peggy, un Américain d'origine française très charismatique – peintre, dramaturge et romancier. Même si son étoile commence à décliner, Vail a longtemps régné comme « roi de Bohème » à Greenwich Village et parmi la communauté parisienne des expatriés américains. À ses côtés se tient sa seconde épouse, Kay Boyle, romancière et nouvelliste américaine, qui déteste Peggy et que Peggy méprise. Les deux femmes – mère et belle-mère – se disputent férocement l'affection de Sindbad et Pegeen, le fils et la fille de Peggy et Laurence.

La vie des enfants est censée être réglée par une complexe garde alternée, définie dans le contrat de divorce entre Peggy et Laurence. Mais ces dispositions ont été modifiées au gré de caprices et d'arrangements entre les parents. Et les rivalités des adultes, leurs histoires d'amour et leurs voyages au long cours n'en finissent pas de perturber l'existence de leur descendance. Peggy a gardé Pegeen, tandis que Sindbad vit chez son père, hormis les deux mois par an qu'il passe avec sa mère. Un temps et une énergie considérables sont consacrés à transporter les enfants entre les deux foyers, même si depuis leur plus jeune âge ils sont autorisés à voyager seuls entre les maisons de Peggy, à Londres ou dans la campagne anglaise, et celle de Laurence en France.

Noué en 1922, le mariage entre Peggy et Vail dure six ans, passant rapidement de « passionné » à « passionnel ». Vail s'offre quelques séances publiques d'insultes et d'humiliations. Il échoue parfois en prison à la suite d'altercations avec des étrangers, mais c'est à Peggy qu'il réserve ses plus cinglantes disputes. Il prend plaisir à jeter

ses chaussures par la fenêtre, à détruire ses objets personnels, à briser meubles, miroirs et lustres, et à la frapper
jusque dans la rue. Un jour, il la maintient au fond de
la baignoire jusqu'à la limite de la noyade ; à une autre
occasion, alors qu'elle est enceinte, il lui lance une assiette
de haricots dans l'estomac ; plusieurs fois, il la jette au
sol et lui piétine le ventre. Il faudrait une équipe de psy-
chologues pour comprendre pourquoi Laurence adore
étaler de la confiture dans les cheveux de sa bien-aimée
sous le regard de témoins. Peggy supporte la violence de
Laurence pendant des années, jusqu'à ce que ses amis
parviennent à la convaincre que Vail est devenu une véritable menace pour elle et leurs enfants.

Lorsqu'il arrive pour le dîner de Marseille, Vail est déjà
dans un état de rage, parce que Kay Boyle l'a abandonné
pour aller vivre à Cassis avec son nouvel amant, un baron
autrichien du nom de Joseph Franckenstein. Mais maintenant, celle-ci a besoin de Laurence et Peggy pour parvenir
à fuir l'Europe. Kay a quitté Vail en lui abandonnant la
charge de six enfants (Sindbad et Pegeen, sa propre fille
Sharon et les trois filles, Apple, Kathe et Clover, que
Laurence et elle ont eues ensemble) et en lui laissant le
soin de déménager leur villa à Megève, en Haute-Savoie,
où Vail adorait pratiquer l'escalade et le ski.

La soirée au café sur le port de Marseille cristallise une
série de tensions individuelles et conjoncturelles, légèrement attisées par la présence d'un transporteur d'art
professionnel, René Lefèbvre-Foinet, qui, avec son frère
Maurice, a aidé Peggy à emballer et expédier sa collec-

tion à New York. Peggy et les deux frères savent que les œuvres sont en danger, qu'une collection appartenant à une juive américaine risque fort d'être saisie par les nazis. D'autre part, Peggy et René étaient amants, jusqu'à ce qu'elle le remplace sans préavis par Max Ernst. Et ce soir-là, René est venu accompagné d'une prostituée originaire de Grenoble.

Même en zone libre, contrôlée par le gouvernement collaborationniste de Vichy, la situation pour les juifs, les étrangers et les « artistes dégénérés » est devenue plus risquée. Selon le traité mettant fin à la « drôle de guerre » avec la France, l'Allemagne peut extrader tous ceux que les nazis souhaitent déporter : juifs, communistes, Tchèques, Polonais, Allemands, homosexuels et intellectuels antifascistes. Depuis l'automne 1940, Vichy a commencé à adopter une série de mesures antijuives de plus en plus sévères et restrictives, inspirées des lois de Nuremberg qui ont privé les juifs allemands de leur culture, de leurs moyens de subsistance et de leurs droits humains les plus fondamentaux.

L'un des derniers itinéraires de fuite mène de Marseille, à travers l'Espagne et le Portugal, jusqu'à Lisbonne et de là, aux États-Unis. Longtemps une plaque tournante du commerce illégal, Marseille est devenue un centre de ralliement pour les trafiquants du marché noir, les espions et les réfugiés aux abois – « le paradis des conspirateurs ».

Peggy a acheté des billets d'avion pour Ernst, Vail, Boyle et les six enfants sur un vol reliant Lisbonne à New

York, dans le luxueux hydravion de la compagnie Pan Am, l'un des plus anciens vols commerciaux transatlantiques publics. Elle a également supervisé les innombrables démarches administratives pour obtenir permis de sortie, permis d'entrée, visas de transit dans les pays ibériques et autorisation (pour Ernst) d'entrer aux États-Unis. Son propre visa n'étant plus valide, elle a falsifié elle-même la date d'expiration, dans un geste caractéristique associant à la pression des événements le sentiment d'impunité d'une personne riche. Pour Laurence qui n'avait pas de visa et Max dont l'autorisation d'entrée sur le territoire américain devait être renouvelée, Peggy n'a pas hésité à couper les files d'attente qui s'allongeaient devant le consulat américain à Marseille, en brandissant son passeport américain. La question du départ et des démarches requises est l'objet de toutes les conversations à Marseille et consume l'essentiel du temps et de l'énergie déployés par le Comité de secours d'urgence de Varian Fry, que Peggy a généreusement subventionné. Officiellement, elle a versé 500 000 francs au comité, mais peut-être davantage à Fry en sous-main. C'est précisément le genre de gestes – un exemple de *noblesse oblige*[1] – que son éducation l'a destinée à accomplir.

À Marseille, l'ordre a été donné d'arrêter les juifs étrangers, et Peggy a déjà reçu un sévère avertissement, ainsi qu'elle le raconte dans ses mémoires.

---

1. En français dans le texte original.

À cette époque, tous les juifs étaient traqués dans les hôtels de Marseille et envoyés dans des lieux spéciaux. Max m'a dit de ne pas reconnaître que j'étais juive, si la police venait à m'interroger, mais que je devais insister sur ma nationalité américaine. Heureusement qu'il m'avait prévenue, car tôt un matin après son départ, alors que les tasses du petit-déjeuner étaient encore sur la table, un policier s'est présenté, en vêtements civils.

Impatient de savoir comment Peggy a pu échapper à la prison, on pourrait passer rapidement à la suite – ou bien s'arrêter et se demander : qu'est-ce qui cloche dans ce passage ?

De toute évidence, les juifs de Marseille sont traqués partout, pas seulement dans les hôtels. Peggy Guggenheim, elle, occupe une suite de luxe. Et quels sont ces « lieux spéciaux » où l'on envoie les juifs ? Au moment où Peggy rédige la première version de ses mémoires, le sort réservé aux juifs d'Europe est largement connu. Avec ce terme de « lieux spéciaux », Peggy s'autorise-t-elle un de ces traits d'« humour » intentionnellement provocants qu'hormis elle, personne ne semble trouver drôles ? Partout dans son autobiographie, on constate ce besoin de dérouter et de déstabiliser, qui conditionne tant d'aspects de la vie de Peggy – depuis son débit de paroles précipité à son sens de la mode, son goût extravagant pour les bijoux et les lunettes de soleil, et surtout son désir de présenter l'art d'avant-garde dans un cadre entièrement nouveau (et scandaleux).

Mais pourquoi cette femme, qui a quitté Paris quelques jours avant l'arrivée des Allemands et fait une donation si généreuse au Comité de secours d'urgence de Varian Fry, aurait-elle besoin que Max Ernst l'avertisse de ne pas dire à la police qu'elle est juive ?

Peggy Guggenheim sait pertinemment qu'elle est juive et ce que cela signifie pour les Allemands. Elle a grandi dans un cercle privilégié de riches juifs allemands qui aspirent au statut d'aristocrates et qu'Edith Wharton met en scène dans ses romans new-yorkais – même s'ils sont sans doute loin de la caricature des personnages juifs peuplant les récits de la romancière. Le manque d'intérêt de Peggy pour la pratique religieuse est attesté par la dispute qui l'opposa à sa mère pour avoir acheté des meubles pendant Yom Kippour. Ce qui ne l'empêche pas de se réjouir lors de l'incendie d'un hôtel du Jersey Shore qui interdisait son entrée aux juifs. Et deux membres de sa famille seraient morts le cœur brisé de se voir rejetés en raison de leur judaïsme – l'un d'un hôtel, l'autre d'un club privé de New York.

Ces deux incidents, que Peggy relate dans ses mémoires avec une consternation amusée, sont des « *causes célèbres*[1] » qui trouvent un grand retentissement dans la haute société juive, ainsi que dans le pays tout entier. Quand en 1877 le grand-oncle de Peggy, Joseph Seligman, se voit refuser une chambre au Grand Union Hotel de Saratoga par la voix même de son directeur, le

---

1. En français dans le texte original.

juge Henry Hilton, cet outrage déclenche un scandale qui fait la manchette des journaux. L'affaire engendre l'un des premiers débats publics sur l'antisémitisme – un débat relancé lorsqu'un autre des oncles de Peggy, Jesse Seligman, démissionne du select Union League Club de Manhattan après qu'on a refusé l'admission à son fils Theodore. « Bien que dans les faits il restât encore membre, Jesse ne remit jamais les pieds à l'Union League Club. La rancœur que lui inspira cet épisode a probablement précipité sa fin, tout comme l'affaire du juge Hilton avait précipité celle de son frère. »

Peggy a vécu une expérience similaire lorsque, pendant la Première Guerre mondiale, sa mère, ses sœurs et elle furent autorisées à passer la nuit dans un hôtel du Vermont en dépit de mesures raciales restrictives, mais avec l'obligation de quitter les lieux dès le lendemain. Ce qui inspire à Peggy un commentaire au moins partiellement ironique, comme si souvent dans ses mémoires : « Cela me procura un nouveau complexe d'infériorité. » Cette notion psychanalytique, entrée dans les mœurs avec la popularisation de la théorie freudienne, resurgira tout au long de sa vie. Le « complexe d'infériorité » de Peggy a de nombreuses causes : elle est juive, persuadée d'avoir un physique ingrat et, peut-être pire encore, convaincue d'être moins intelligente et moins talentueuse que ses amis – lesquels ne se gênent pas pour confirmer son impression de n'être « pas assez maligne ».

Son manque de confiance – ou, peut-être plus précisément, l'ambivalence à propos de son estime de soi – est une facette si bien connue de sa personnalité que Peggy parvient à s'en moquer. Quand son amie Emily Coleman la complimente sur son absence de prétentions, Peggy lui répond : « J'ai des prétentions à l'infériorité. » Au cours de l'été 1944, Peggy loue une maison au bord d'un lac du Connecticut « où les juifs n'étaient pas censés se baigner ». À cette époque, la menace d'exclusion ne nourrit plus son sentiment d'infériorité. Tout au contraire, elle prend un malin plaisir à contourner l'interdiction en envoyant son ami le compositeur et écrivain Paul Bowles signer le bail à sa place. Elle s'amusa beaucoup, cet été-là, de s'entendre appeler Mme Bowles par les gens du cru.

À bien des égards, Peggy Guggenheim préfigure un certain type de juifs américains contemporains, ceux qui réagirent contre l'antisémitisme avec à la fois douleur et vigueur, sans pour autant entretenir un authentique et profond sentiment d'appartenance personnelle à la religion ou la culture juive. Leur nombre augmente lorsque les preuves de l'Holocauste révèlent la plus horrible des mutations de l'antisémitisme, et à chaque fois que l'État d'Israël semblera en danger. Bien des années plus tard, à Venise, Peggy refusera de rencontrer Ezra Pound en raison de la position ouvertement profasciste qu'il a prise pendant la Seconde Guerre mondiale.

Comme beaucoup, Peggy est pétrie de contradictions. La satisfaction à voir brûler l'hôtel « discriminatoire » cohabitait avec une certaine tolérance pour l'antisémitisme à la fois spontané et flagrant des années 1920 à Paris. Au sein de la communauté chic d'expatriés dans

46

laquelle Peggy se plonge avec délice, il est acceptable, voire distingué, de dire des horreurs au sujet des juifs.

On note de tels propos tout au long du roman d'Ernest Hemingway paru à cette période, *Le soleil se lève aussi*. Le cousin de Peggy, Harold Loeb, qui lança un magazine littéraire sous le titre *Broom* et s'installa à Paris pour écrire, aurait servi de modèle à Hemingway pour le personnage du juif Robert Cohn, lâche et prétentieux. Le héros du roman, Jakes Barnes, se montre d'abord amical envers Cohn, malgré « sa caractéristique bien juive d'être entêté ». Plus tard, sous l'emprise d'une rivalité amoureuse, Jake devient moins empathique. Ses amis remarquent que, certes Lady Brett a fricoté avec beaucoup d'hommes, « seulement, ce n'étaient pas des juifs ». Ils critiquent les « airs de juif supérieur » que Cohn se donne et préviennent Brett qu'en fréquentant « des juifs et des toreros, ou des gens comme ça, elle ne peut que s'attendre à des ennuis ».

Dans un texte inédit, Laurence Vail surnomme sa femme Pigeon Peggenheim. Son roman *Murder! Murder!* est émaillé de réflexions antisémites, et presque toutes les disputes entre le narrateur et son épouse juive – cupide et pingre – dégénèrent en une bordée d'insultes à l'attention du peuple juif. Kay Boyle semble partager les préjugés de son mari. Au moment où Peggy rencontre les Vail à Marseille en 1941, Laurence et Kay rentrent d'une visite en Autriche, apparemment enchantés par le nazisme, où Kay a entendu un discours d'Hitler à la radio qu'elle décrit comme « vraiment émouvant ».

Le roman de William Gerhardie *Of Mortal Love*, dans lequel apparaissent Peggy et son amant John Holms, raconte une visite à un restaurant appartenant à un « juif italien graisseux ». Et l'amie proche de Peggy, Emily Coleman, note dans son journal que naître femme, c'est comme naître juif : il faut se démener deux fois plus que les autres pour exister.

Plus loin dans ses écrits, Coleman se montre moins tolérante et amicale : « Comme tous les riches, [Peggy] aime soutenir ceux qui acceptent ce qu'elle leur donne sans jamais demander davantage. Elle sait pourtant bien qu'ils vont *toujours* demander plus. [...] Ce qui est exaspérant, c'est de tomber sous la coupe de personnes qui n'ont aucun droit de vous dominer. [...] Même si la moitié d'elle-même en est consciente (ce qui vaut pour toute personne née fortunée), l'autre moitié est strictement juive et mauvaise, comptable du moindre sou dépensé. »

Peggy doit avoir appris à ignorer les plaisanteries de ses amis (et de son premier mari) et leurs préjugés « acceptables ». Toutefois, quelque chose de perturbant se produit lors d'une visite de Sindbad à sa mère après la séparation de ses parents, lorsque Laurence Vail et Kay Boyle s'efforcent (en tout cas, selon Peggy) de monter les enfants contre elle. La communauté dans laquelle vit Peggy au milieu de la campagne britannique, pendant les étés 1932 et 1933, a une prédilection pour les jeux de société, et lorsque Peggy, pour plaisanter, demande à Sindbad s'il connaît le jeu Guggenheim, il demande : « C'est quoi comme jeu ? Arnaquer les gens ? »

Peggy elle-même nourrit des sentiments ambigus à l'égard des autres juifs. Lors d'un voyage au Moyen-Orient peu de temps après la naissance de Sindbad, devant le mur des Lamentations, face au spectacle des religieux en prière, elle a la même réaction que certains membres juifs allemands de sa famille vivant dans le quartier de l'Upper East Side à New York eurent face à la vague des immigrants débarqués de leurs *shtetls*[1] d'Europe de l'Est au début du XXᵉ siècle : « La vision nauséeuse de mes compatriotes, grognant, gémissant et s'adonnant en public à des contorsions physiques, était plus que ce que je ne pouvais en supporter, et je fus heureuse de quitter les juifs à nouveau. » Mais Peggy est assez fine pour savoir qu'aucune sorte de revendication – quand bien même les Allemands se rendraient compte qu'elle n'est pas comme *ces autres juifs* – ne pourra dissuader la Gestapo s'ils décident de l'arrêter.

Or, Peggy Guggenheim a besoin, ou prétend avoir besoin, que Max Ernst l'avertisse de ne pas révéler à la police qu'elle est juive – non parce qu'elle a une conscience insuffisante de ce fait et de ses conséquences potentielles, mais pour la même raison qu'elle demanda à Laurence Vail de lui apprendre l'Europe, le vin, la nourriture, l'art et la vie. Car, même si elle est parvenue toute seule à créer une entreprise, et ainsi à lancer sa carrière,

---

1. En yiddish, un *shtetl* désigne une petite ville, un grand « village », ou plus souvent un quartier juif, dans l'Europe de l'Est d'avant la Seconde Guerre mondiale.

elle reste persuadée qu'elle a besoin d'un homme pour prendre certaines décisions essentielles et lui traduire la réalité en termes compréhensibles pour elle. « J'étais sans expérience quand j'ai rencontré [Laurence] et je me sentais comme un monstrueux bébé dans son monde sophistiqué (ainsi que je le considérais à l'époque). [...] Il m'a ouvert un monde entièrement neuf et appris un mode de vie complètement nouveau. »

Si Peggy se montre effrayée par la perspective de la guerre à venir, elle est déterminée à tenter sa chance et reste à Paris pour acheter des œuvres quelques jours encore avant l'occupation de la ville par les nazis. C'est Laurence Vail qui décide finalement de leur départ pour l'Amérique. « Je ne savais pas quoi faire pour l'avenir, se souvient Peggy. Mais Laurence demeura très calme et décida de tout pour moi. »

De 1928 à 1934, Peggy compte sur le successeur de Vail et son grand amour, John Ferrar Holms, pour lui enseigner la poésie, la philosophie et les plaisirs de la conversation littéraire. Et lorsqu'elle commence sa collection et ses expositions dans les galeries qu'elle a ouvertes à Londres et à New York, elle a besoin, et aura toujours besoin, de s'appuyer sur une série de conseillers, à commencer par Marcel Duchamp – tous des hommes, à part une seule exception – pour lui expliquer ce qu'elle est en train d'observer et ce qu'elle doit rechercher.

Même si elle jouit de son propre argent et a ses propres idées sur la manière de le dépenser, même si elle cultive ses propres ambitions et ses propres amitiés, elle a été élevée et éduquée pour se reposer sur les prises de décision masculines. Elle vit dans une époque et un milieu où les femmes dépendent des hommes pour leur expliquer le monde et décider ce qui est important, où elles sont censées s'occuper du foyer et élever les enfants, ou bien surveiller le personnel qui s'en charge. Sans un homme pour la diriger, sans les récompenses d'une attention masculine et la validation d'un désir masculin, une femme est un individu défaillant, incomplet – un être inapte. Cette vision conformiste de la distribution des rôles sexuels et des relations de pouvoir est d'autant plus frappante que Peggy et tant de femmes de sa connaissance se considèrent elles-mêmes comme des rebelles en guerre contre les traditions et les conventions.

Ce fut une bonne chose, écrit Peggy, que Max Ernst l'ait mise en garde contre la police. Parce que le détective qui se présente dans sa chambre d'hôtel a des soupçons. Lorsqu'il remarque que la date sur le visa de Peggy a été grossièrement falsifiée, elle affirme que ce sont des fonctionnaires de Grenoble qui ont pris l'initiative de la modifier. Puis, il lui demande pourquoi sa présence n'est pas enregistrée sur Marseille. Ce qui inquiète le plus Peggy, c'est qu'elle détient, cachées dans sa chambre, de grandes quantités de devises illégales circulant sur le marché noir, dont elle a besoin pour financer la fuite de tous ses protégés.

Le policier lui demande si son nom est juif et elle répond que non, que son grand-père était suisse, originaire de Saint-Gall. Certes, il était bien suisse, mais également juif. L'officier, qui n'a jamais entendu parler de Saint-Gall, commence à fouiller la chambre. Peggy lance qu'il ne trouvera aucun juif caché dans le placard ou sous le lit ! L'agent lui ordonne alors de le suivre au poste de police.

Il a cependant la galanterie de quitter la chambre pour laisser Peggy s'habiller. Pendant ce temps, elle cherche comment cacher l'argent et laisser un message pour informer Laurence et Max. En attendant Peggy dans le hall d'entrée, le détective tombe sur l'un de ses supérieurs, qui a un faible pour les Américains – peut-être en raison de l'énorme cargaison de ravitaillement que les États-Unis viennent d'envoyer pour soulager la pénurie alimentaire des Français. Lorsque Peggy descend, elle demande aimablement à l'officier supérieur comment se rendre au poste de police afin qu'elle puisse s'y faire enregistrer. Ce dernier est ravi d'expliquer l'itinéraire à la *demoiselle*[1].

Plus tard, quand elle se plaindra à la propriétaire de la visite du détective, la femme lui répondra : « Oh, c'est rien, madame, ils regroupent les juifs, c'est tout. »

S'ensuit un paragraphe bouleversant sur les nombreuses occasions où Ernst retrouve la « nouvelle société » des hommes réduits à l'état de fantômes, qu'il a connus dans les camps de prisonniers. Puis, Peggy reprend son personnage plus confortable de riche petite écervelée, notant que Max parlait des camps « avec autant de décontrac-

---

1. En français dans le texte original.

tion que s'il faisait référence à Saint-Moritz, Deauville, Kitzbühel ou tout autre lieu de villégiature renommé ». Cette crainte de plomber l'ambiance revient comme une sorte de réflexe dans les mémoires de Peggy, comme c'était le cas apparemment dans sa conversation.

Au café de Marseille, Peggy et ses amis boivent pour chasser de leurs esprits les dangers qui les guettent. Mais plus ils boivent, plus les minutes passent et plus il est difficile d'éviter de rouvrir les blessures qu'ils se sont infligées les uns aux autres par le passé.

Kay Boyle lâche la première bombe de la soirée en disant qu'elle a entendu de mauvaises nouvelles : le bateau transportant la collection d'art de Peggy de l'Europe vers New York aurait coulé quelque part dans l'Atlantique.

La lutte entre Peggy et Kay pour s'attacher l'affection et la fidélité des enfants est aggravée par la conviction de Kay que Peggy ne supporte pas de voir sa rivale gagner, par son écriture, assez d'argent pour entretenir sa famille et ainsi réduire leur dépendance financière vis-à-vis d'elle. Plus récemment, la colère de Kay est montée d'un cran lorsque Peggy a refusé de financer l'évasion de son amant, le baron Franckenstein. Maintenant que l'aristocrate autrichien est finalement en route vers les États-Unis, Kay s'est apaisée, mais elle ne peut pour autant résister au plaisir de tourmenter Peggy en inventant une rumeur sur la perte de ses peintures et de ses sculptures.

C'est un des mensonges les plus cruels que Kay Boyle aurait pu imaginer. Le père de Peggy, Benjamin Guggenheim, s'est noyé dans le naufrage du *Titanic*, ce qui doit lui rendre l'idée d'une nouvelle catastrophe maritime particulièrement éprouvante. Et Peggy serait dévastée par la perte de la collection dans laquelle elle a investi tant de temps, d'énergie et d'argent – une mission qui, elle commence à le comprendre, sera l'œuvre de sa vie. Les détracteurs de Peggy ont affirmé qu'elle s'occupait plus de ses peintures que de son fils et sa fille – une rumeur désobligeante qu'elle alimente en appelant les tableaux ses « enfants », et les artistes réfugiés dont elle a exposé le travail dans sa galerie ses « orphelins de guerre ». En effet, elle ressent un sentiment profond et presque maternel pour les œuvres qu'elle a acquises. Pour Peggy, collectionner n'est pas une stratégie d'investissement, mais une passion.

Lorsque, à la veille de l'invasion allemande, il est devenu évident que sa collection n'est plus en sécurité à Paris, Fernand Léger (dans l'atelier duquel Peggy a acheté des œuvres le jour de l'invasion norvégienne) suggère que le Louvre pourrait accepter de laisser Peggy bénéficier d'un espace dans le lieu secret situé à la campagne où le musée cache ses possessions. Mais les conservateurs sont au regret de répondre à Peggy que les œuvres qu'elle leur demande de sauvegarder sont trop modernes pour mériter d'être préservées.

« Ce qu'ils considéraient comme indigne d'être sauvé, c'étaient un Kandinsky, plusieurs Klee et Picabia, un

Braque cubiste, un Gris, un Léger, un Gleizes, un Marcoussis, un Delaunay, deux futuristes, un Severini, un Balla, un van Doesburg et un *De Stijl* de Mondrian[1]. » Auxquels il faut ajouter des tableaux de Miró, Max Ernst, De Chirico, Tanguy, Dalí et Magritte. De la même manière, le musée refusa d'envisager d'aider Peggy à préserver les sculptures de Brancusi, Lipschitz, Giacometti, Moore et Arp.

Qu'on la juge choquante ou inconsidérée, la décision du Louvre prouve en tout cas que l'art défendu par Peggy est encore loin d'avoir gagné une large reconnaissance – ou même d'être simplement considéré comme de l'art. Et cela oblige à rappeler ce que la reconnaissance plus tardive de ces artistes a escamoté : à quel point Peggy avait le goût de l'avant-garde et de quelle hardiesse elle fit preuve en défendant des œuvres que le plus vénérable musée de France jugeait indignes d'être cachées avec ses Poussin et ses Chardin.

Sur les quelque 150 œuvres en route vers New York, beaucoup ont été achetées juste avant ou après l'invasion allemande, lorsque Peggy, selon ses propres dires, s'est fixé la mission d'acheter un tableau par jour. Accompagnée de son ami et conseiller Howard Putzel, elle s'est lancée dans une folle virée qui l'a menée des ateliers aux galeries des artistes et des marchands les plus

---

1. *De Stijl* (en néerlandais, « le style ») fut tout d'abord une revue d'arts plastiques et d'architecture, publiée par Theo van Doesburg et Piet Mondrian, avant de devenir un mouvement d'avant-garde transdisciplinaire.

célèbres de Paris. D'autres artistes lui apportèrent les œuvres qu'ils espéraient vendre, tôt le matin, alors qu'elle était encore au lit.

Après le refus du Louvre, Peggy trouve le moyen de dissimuler sa collection dans une grange près de Vichy, sur le domaine d'un château où son amie Maria Jolas a évacué son école bilingue pour enfants. Jolas a compris que, puisque Peggy est juive, il est essentiel d'exfiltrer sa collection de la zone occupée.

Quelques jours avant l'arrivée des Allemands à Paris, Peggy quitte la ville avec une autre amie, Nellie van Doesburg, dans sa berline Talbot alimentée par l'essence qu'elle a stockée sur le balcon de son appartement. Finalement, elles parviennent à Megève, où Peggy retrouve son fils et sa fille, et où (après avoir loué une maison sur le lac d'Annecy) elle passe l'été à faire teindre ses cheveux de différentes couleurs, pour couvrir sa liaison secrète avec un coiffeur local.

Mais la précieuse collection n'est pas encore à l'abri. Expédiée de Vichy à Annecy par le chemin de fer, elle a passé du temps sur un quai de gare, sous un toit non étanche et protégée uniquement par des bâches. Un ami propose à Peggy d'expédier les œuvres au musée de Grenoble, où le directeur accepte de les héberger. Mais ce dernier, dûment préoccupé par la manière dont les fonctionnaires de Vichy pourraient réagir au spectacle de « l'art dégénéré », refuse catégoriquement de les exposer, contrairement au souhait de Peggy.

Cet hébergement au musée de Grenoble ne règle toutefois pas le problème de l'avenir de la collection après le départ de Peggy pour les États-Unis. René Lefèbvre-Foinet, son transporteur, suggère que les œuvres soient emballées et expédiées avec le linge de maison, les livres, les casseroles et autres objets personnels de Peggy – une gageure rendue un peu moins ardue depuis que Peggy et René sont devenus amants.

Accompagnée de la prostituée grenobloise, René est présent au dîner marseillais, lorsque Kay Boyle annonce que la collection serait perdue. Il doit être tout aussi perturbé d'apprendre que tous ses efforts sont peut-être réduits à néant.

Ce n'est pas non plus une bonne nouvelle pour Marcel Duchamp. Bénéficiant d'un meilleur réseau que les autres, Duchamp a pu organiser de son côté sa fuite d'Europe. En se faisant passer pour un négociant en produits laitiers, il est parvenu à voyager plusieurs fois entre les zones libre et occupée, acheminant même en fraude du matériel qu'il prévoit d'utiliser pour fabriquer une cinquantaine d'œuvres – ses fameuses boîtes – une fois arrivé aux États-Unis. Et il a rangé ce matériel dans les caisses d'expédition contenant les œuvres et les biens domestiques de Peggy.

Encore aujourd'hui, on se prend à trembler devant les images évoquées par la petite plaisanterie de Kay Boyle. *L'Oiseau dans l'espace* de Brancusi arraché de ses couvertures de protection, le bronze scintillant tournoyant jusqu'au fond de l'océan. La *Tête et coquille* d'Arp et la *Femme égorgée* de Giacometti sombrant avec le reste de l'épave. La *Courbe dominante* de Kandinsky, *La Clarinette* de Braque, *Les Hommes dans la ville* de Léger et *La Naissance des désirs liquides* de Dalí flottant à la surface de la mer. Ou les photographies de Man Ray et de Berenice Abbott se gondolant, rongées par le sel.

Si la collection de Peggy avait été perdue en mer, de nombreux Américains n'auraient jamais vu quelques-unes des plus grandes œuvres d'art créées en Europe avant la guerre. Une pièce essentielle aurait manqué à l'ensemble de la production des peintres et sculpteurs européens durant cette période critique. Les expressionnistes abstraits n'auraient peut-être jamais eu la chance d'étudier l'art qui influencerait si radicalement leur travail – et auquel ils finiraient par s'opposer.

Imaginer ce qui aurait pu être perdu, c'est aussi reconnaître ce qui fut sauvé. Et par conséquent, l'importance de ce que Peggy Guggenheim réussit à accomplir.

Finalement, Kay Boyle avoue qu'il s'agit d'une plaisanterie. « Elle prenait plaisir à imaginer des choses pareilles », commente Peggy.

Le groupe retrouve alors son calme, assez longtemps pour permettre à Laurence Vail de se remémorer ses malheurs : le départ de Kay et son refus de l'aider, lui et leurs enfants, à déménager leur maison de Megève.

L'union de Vail avec Kay Boyle fut beaucoup moins houleuse qu'avec Peggy. Contrairement à celle-ci, Kay ne l'a pas laissé étaler de la confiture sur ses cheveux, et, comme la plupart des tyrans domestiques, il a alors renoncé. Il est notoire que Kay savait mieux « gérer » Laurence, principalement parce qu'elle avait appris à aboyer la première, chaque fois qu'elle sentait venir une de ses crises. Dommage, déclara la mère de Peggy, que Laurence n'eût jamais aussi peur de Peggy que de Kay.

Mais ce soir-là, la fureur de Laurence parvient à effrayer même sa femme, d'habitude si téméraire. Lorsque Kay se lève, expliquant qu'elle doit partir, Vail renverse les verres de la table et commence à jeter la vaisselle dans tout le café. Puis, il soulève la table de marbre et menace de la briser sur la tête de Kay.

Duchamp s'interpose, retenant Vail tandis que Kay se précipite hors du café. Elle se souviendra plus tard avoir dévalé la rue en courant, le visage baigné de larmes, flanquée de Duchamp d'un côté et Vail de l'autre. Quand Duchamp conseille à Kay de rentrer à sa chambre d'hôtel, où elle sera en sécurité, Vail menace de les tuer tous les deux.

Finalement, le couple accepte de se retrouver dans la chambre de Peggy, pour essayer d'arranger les choses. Allongés sur des lits séparés, Laurence et Kay parviennent à un accord sur la garde des enfants et la manière d'organiser leur vie aux États-Unis. Plus tard, au milieu de la nuit, la Gestapo frappe à la porte, mais repart lorsque Laurence et Kay produisent leurs passeports américains.

Et c'est ainsi que s'acheva cette nuit qui, pour aussi dramatique qu'elle paraisse, ne détonnait guère d'avec les soirées que Peggy Guggenheim passait à cette époque de sa vie. Plus tard, elle qualifiera « ces scènes de querelles si violentes » de « *soirées charmantes*[1] », qui déclenchaient et exacerbaient les passions, éprouvaient, amplifiaient ou détruisaient les amitiés, distribuaient les coups et les insultes, tandis qu'un drame historique se jouait en coulisses, juste à côté. Les tensions se sont dénouées dans la violence, une trêve a été conclue, le sort des enfants réglé de manière à gêner les parents le moins possible. Et pendant ce temps, la collection d'art de Peggy Guggenheim vogue lentement mais sûrement vers New York.

---

1. En français dans le texte original.

CHAPITRE IV

Son argent

Chaque fois que Peggy Guggenheim est évoquée, par ceux qui l'ont connue ou par ceux qui ont écrit sur elle après sa mort, parmi les sujets qui reviennent le plus souvent, on trouve son argent et son nez. Ce qui relie ces deux éléments apparemment disparates, ce sont les clichés de l'antisémitisme, la caricature utilisée par les racistes pour désigner les juifs et l'identité juive. Voici donc ce qui préoccupe les juifs et comment on les identifie : leur argent, leur nez.

Dans le cas de Peggy, ces deux mots et leurs connotations détestables représentent la manière dont elle se voit et dont elle est vue par les autres : une femme riche affligée d'un physique ingrat, à cause de ce que Peggy, sa famille et ses amis considèrent comme le défaut qui la défigure – un nez trop gros. En réalité, les photos de Peggy jeune femme la montrent plutôt jolie, non pas d'une beauté frappante, mais néanmoins attrayante. Et son charme persiste à l'âge mûr – jusqu'à ce qu'elle se défigure en teignant ses cheveux d'un noir sévère, peu flatteur, et en peignant sa bouche d'un rouge écarlate, guère plus seyant.

À Venise, une part de sa beauté originelle lui est rendue lorsque, dans ses dernières années, elle décide de s'habiller plus élégamment et de garder ses cheveux gris. Si l'on raconte qu'elle ne se laissait jamais photographier de profil, il existe pourtant quelques portraits d'elle sous cet angle. Sur ces photos, son nez n'est certes pas ce qu'on appellerait un petit nez mutin, mais il n'est en aucun cas le monstre boursouflé qu'elle prétendait avoir – et que les autres lui attribuaient.

Quoi qu'il en soit, ces deux sujets – son nez et son argent – dominent si fort les conversations à propos de la vie de Peggy Guggenheim, de son vivant comme après sa mort, qu'on se doit de les considérer, séparément et ensemble, pour étudier comment ils ont forgé son caractère, comment ils lui ont permis d'accomplir ce qu'elle a accompli, de vivre les aventures qu'elle souhaitait vivre et, en même temps, comment ils l'ont empêchée d'emprunter certains chemins qui l'auraient orientée vers des ambitions bien différentes.

Dans la société privilégiée où grandit Peggy, les familles juives habitent de vastes demeures dans les plus beaux quartiers de New York et sur le Jersey Shore, s'habillent à la dernière mode, servent de la nourriture raffinée dans la meilleure vaisselle de porcelaine, mangent avec d'élégants couverts en argent et boivent dans des verres de cristal, et engagent des serviteurs pour accomplir toutes les tâches qu'elles jugent subalternes. Un membre de la famille Guggenheim, Strauss ou Seligman se doit de montrer des manières impeccables et d'éviter tout ce qui pourrait être considéré comme ostentatoire ou vulgaire. « Chaque fois que Meyer Guggenheim [patriarche de la famille Guggenheim et grand-père de Peggy] prenait son traîneau ou son landau pour traverser le parc, il sortait seul, tenant lui-même les rênes, pour éviter d'exhiber un cocher et des valets de pied. C'était presque un code de conduite officieux : plus on était riche, plus on s'efforçait d'apparaître convenable et discret. »

On suppose que ces familles évoluant dans le cercle des Guggenheim offraient des donations pour des causes honorables, en vertu d'une sorte de onzième commandement consistant à « rendre » – c'est-à-dire faire preuve de gratitude envers le pays qui leur avait permis de prospérer et d'honorer le dieu dont la mystérieuse bénédiction les obligeait à veiller au bien-être des moins doués ou moins chanceux. Cette tradition donna à la famille de Peggy l'inspiration de prêter leur nom à un musée et à une fondation. Et elle allait inciter Peggy à se montrer charitable face aux sollicitations, à soutenir les artistes en lesquels elle croyait et à aider tout un groupe de réfugiés talentueux à fuir l'Europe pendant la guerre.

Si Peggy préférerait conserver une certaine discrétion quant à l'importance de sa fortune, quant aux détails de son héritage et de ses balancements excentriques et impulsifs entre générosité et avarice, cette privauté lui est refusée. Ses amis spéculeront longuement sur sa richesse. Est-il vrai, comme elle l'affirma souvent, que son héritage l'obligeait à vivre sur des rentes, certes généreuses, mais limitées ? Était-elle riche selon les critères du commun des mortels – ou selon ceux d'une Guggenheim ?

Ce qui est clair, c'est qu'elle est toujours la personne la plus aisée de son cercle d'amis, celle qui règle le loyer de toutes les habitations qu'elle et sa communauté itiné-rante d'artistes bohèmes occupent en Europe et à New York, celle qui est censée ramasser l'addition après le dîner. Dans une lettre à son père, l'écrivain Charles Henri Ford décrit une soirée à Paris, un repas somptueux suivi de verres dans plusieurs boîtes de nuit et se terminant par Peggy « ayant payé pour tout le monde ». Dans les *Mémoires de Montparnasse* de John Glassco, un couple, inspiré de Peggy et Laurence Vail, régale l'auteur et ses amis « d'huîtres, langoustines à la mayonnaise, ris de veau et petits pois, pommes de terre persillées, tarte à l'ananas et magnum de champagne » – après quoi « le serveur présenta la note dans un discret murmure : "Serait-ce pour Madame ?" ».

Beaucoup de ceux qui connaissent Peggy, même indi-rectement, lui demandent rapidement de l'argent. L'un des amants d'Emily Coleman, un Italien du nom de Bianchetti, suggère régulièrement à Emily des manières d'emprunter ou d'extorquer des fonds à son amie for-tunée. Indépendamment de ce que Peggy peut affirmer concernant l'état de son compte en banque, la seule mention de son nom de famille évoque (et continue d'évoquer aujourd'hui) l'idée d'une quantité d'argent supérieure à ce qu'une personne, même Peggy, pourrait dépenser dans sa vie entière. « Si Peggy est aussi maladroite avec l'argent, écrit Coleman, c'est parce qu'il est tellement important pour elle. »

Avant même que Peggy ne s'établisse comme mécène des arts, et comme point de mire d'une coterie mouvante de pique-assiettes, l'histoire de sa fortune familiale est bien connue. Enfant, son grand-père maternel, James Seligman, démontre un don pour les affaires au sein de la mercerie maternelle, située dans la ville bavaroise de Baiersdorf. En 1837, son grand-oncle Joseph, alors âgé de 17 ans, émigre aux États-Unis. En arrivant dans la Pennsylvanie rurale, où vit déjà une branche de la famille, Joseph travaille d'abord comme commis, puis devient voyageur de commerce, vendant des articles ménagers en porte-à-porte.

Bientôt, il est en mesure de faire venir ses frères et sœurs d'Allemagne et ensemble, ils ouvrent une série de magasins à travers le pays, pour finalement s'installer à San Francisco, où ils débarquent à point nommé pour la ruée vers l'or et se lancent dans le commerce du métal précieux. Pendant la guerre de Sécession, ils concluent des contrats avec le gouvernement pour la fabrication d'uniformes militaires. À la fin de la guerre, ils sont non seulement devenus riches, mais se sont établis comme banquiers – des membres respectés de la classe supérieure de New York.

La promotion sociale de la famille et sa respectabilité n'empêchent pas l'émergence (exacerbée par une consanguinité fréquente dans le communautarisme juif) d'une sorte de mauvais gène qui produit, chez les Seligman, des comportements anormaux allant de la simple excentricité de caractère à une tragique tendance à l'autodestruction. Peggy tire une fierté perverse à descendre d'une famille sujette à des délires et des manies fâcheuses. Lors de leur divorce, Laurence Vail menace d'exiger la garde totale de ses deux enfants, en affirmant que Peggy est aussi dérangée que le reste de sa famille. Heureusement, il ne mettra jamais cette menace à exécution, car les preuves d'instabilité héréditaire auraient en effet pu se révéler accablantes.

Sa grand-mère, sa mère, plusieurs tantes et oncles, et Peggy elle-même, sont obsédés par la propreté et phobiques des microbes. Un de ses oncles prend un bain plusieurs fois par jour, un autre refuse de serrer les mains ; les femmes (y compris Peggy) essuient compulsivement les surfaces de leur intérieur et vaporisent l'air avec du désinfectant. Obèse, sa tante Adélaïde vit une histoire d'amour avec un pharmacien imaginaire, baptisé Balch. Son oncle Washington ne se nourrit que de glace et de charbon de bois, porte des vestes aux poches doublées de zinc et se suicide à l'âge de 56 ans. Deux de ses cousins mettent également fin à leurs jours, dont l'un qui abat sa femme avant de retourner l'arme sur lui. Pathologiquement avare, son oncle Eugène est connu pour arriver strictement à l'heure pour le dîner et pour souhaiter la bienvenue à sa famille selon un rituel consistant à rapprocher les chaises de la salle à manger et à ramper sur le ventre tel un serpent, d'un siège à l'autre.

La mère de Peggy, Florette, souffre d'un trouble qui l'oblige à répéter chaque parole trois fois et, comme Eugène, elle est d'une pingrerie intempestive et irrationnelle, dont on accuse également Peggy. Quand elle voyage en famille, Florette donne un pourboire si maigre au personnel d'hôtel que les porteurs signalent ses valises d'un X, pour mieux les renverser et les endommager à la moindre occasion.

À 20 ans, Peggy traverse une dépression nerveuse. L'un de ses symptômes consiste à ramasser toutes les allumettes usagées qu'elle trouve dans la rue, dans l'angoisse qu'elles ne déclenchent un incendie. Et quand, en 1928, les fils d'Hazel se tuent en tombant accidentellement du toit d'un grand immeuble de Manhattan, on accuse leur mère de les avoir précipités.

Malgré leur héritage d'excentricité et de démence, les Seligman considèrent avec condescendance la lignée paternelle de Peggy, les Guggenheim qui, arrivés à New York plus tard qu'eux, ont rapidement fait fortune dans le commerce et l'exploitation minière – plutôt que dans les activités bancaires et financières, jugées plus raffinées.

En 1847, Simon Guggenheim quitte la Suisse pour Philadelphie, avec sa femme et ses sept enfants. Son fils de 20 ans, Meyer, devient représentant de commerce, appliquant son ingéniosité innée à l'amélioration de produits déjà existants. Il doit son premier succès à un vernis protecteur pour poêles, qu'il met au point avec un ami chimiste. Meyer prospère également dans le commerce de dentelle et de broderie jusqu'à la fin des années 1880 quand, alors dans la quarantaine et père de sept garçons, il investit dans des mines de plomb et de cuivre au Colorado, ainsi que dans la fabrication de machines destinées à pomper l'eau qui empêche l'exploitation de certaines mines. Au cours des vingt années suivantes, les Guggenheim acquièrent des fonderies et des raffineries, créent une société d'exploration conduisant à l'achat de mines d'or, d'étain, de cuivre, d'argent et de diamant en Afrique et en Amérique latine, pour finalement devenir l'une des familles les plus riches des États-Unis.

Aussi profitable que soit l'entreprise, elle ne parvient pas à retenir l'intérêt du beau Benjamin, le cinquième fils de Meyer, qui en 1901 renonce à travailler avec son père et ses frères. Sept ans plus tôt, il a épousé Florette Seligman – une union considérée par la famille Seligman comme une « *mésalliance*[1] ». Pour annoncer le futur mariage de leur fille avec un membre de l'illustre famille investie dans l'industrie minière, les Seligman envoient le télégramme suivant à leurs proches en Europe : « Florette fiancée fonderie Guggenheim ». Ce qui donnera une plaisanterie favorite dans la famille, car le message envoyé contenait en fait une coquille : « Florette fiancée Guggenheim l'a reniflée[2]. »

---

1. En français dans le texte original.
2. Une confusion intraduisible en français : « Guggenheim *smelter* / Guggenheim *smelt her* ».

La première fille de Florette et Benjamin, Benita, naît en 1895. Trois ans plus tard, le 26 août, c'est le tour de Marguerite (connue sous le nom de Maggie, puis Peggy). Hazel, la plus jeune, ferme le ban en 1903.

Peggy est encore un nourrisson lorsque Benjamin déménage sa famille dans une grande demeure en pierre calcaire, située dans la 72e Rue Est, une maison dont Peggy se souviendra comme d'un lieu de morosité et de mauvais goût absolu. Dans le hall d'entrée en marbre trône un aigle empaillé, abattu (illégalement) par Benjamin dans les monts Adirondacks, qui semble tenir compagnie à la peau d'ours – langue pendante et crocs déchaussés – qui sert de tapis dans le salon Louis XVI garni de miroirs. Dans une salle de réception à l'étage, sous une tapisserie d'Alexandre le Grand entrant à Rome, Florette invite « les dames les plus ennuyeuses de la haute bourgeoisie juive » pour des thés hebdomadaires, auxquels sa fille assiste sous la contrainte.

On ne sait pas clairement à partir de quand Benjamin Guggenheim se met à tromper sa femme, mais une anecdote familiale suggère que son donjuanisme est davantage un défaut de caractère que la conséquence d'un mariage insatisfaisant. Benjamin aurait dit à un neveu : « Ne faites jamais l'amour avant le petit-déjeuner. D'un, c'est fatigant. Et de deux, vous pouvez rencontrer quelqu'un d'autre dans la journée, qui vous plaise davantage. » Lorsque Peggy a 5 ou 6 ans, tout le monde semble au courant des conquêtes de son père – la première étant peut-être l'infirmière qu'il a engagée pour lui masser le crâne et apaiser ses névralgies.

Des années plus tard, Peggy confie à son amie Emily Coleman que, dès l'âge de 10 ans, elle savait que son père avait des maîtresses. (« À 20 ans, commente ironiquement Coleman, je n'avais encore jamais entendu parler d'une *maîtresse*. ») L'un des incidents les plus révélateurs de l'enfance de Peggy survient quand elle a 7 ans. Dans ses mémoires, elle raconte qu'elle se cacha sous le piano à queue pour pleurer, son père l'ayant renvoyée de table pour avoir dit : « Papa, vous devez avoir une maîtresse, puisque vous passez tant de nuits dehors. » Le plus frappant dans cet incident n'est pas seulement qu'une enfant ose confronter son père à la vérité, mais que, par là même, elle ne craigne nullement de choquer les adultes.

Ce désir de vérifier les effets d'une franchise excessive continuera d'influencer le comportement de Peggy en société. Elle tient des conversations sans tabou sur la sexualité en présence de ses enfants, interroge au dîner ses invités sur leurs aventures amoureuses, embarrasse ses connaissances avec la description de ses propres exploits érotiques – une attitude dans laquelle on peut entendre l'écho des conseils grivois dispensés par Benjamin à son neveu. Et ce goût pour la provocation se retrouve dans sa détermination à exhiber le genre d'œuvres artistiques qui auraient horrifié les personnes assistant aux thés d'après-midi de Florette.

Reléguée aux bons soins des nourrices par un père souvent absent et une mère occupée ailleurs, souffrant cruellement d'un manque d'attention, Peggy découvre qu'un franc-parler est une manière d'y remédier. À l'âge adulte, elle confie à Emily Coleman qu'elle aime savoir que les gens parlent d'elle, même si elle sait la cruauté de leurs propos à son égard.

L'union tourmentée de ses parents contribue à rendre l'enfance de Peggy malheureuse – « un long et interminable supplice » dont elle prétend n'avoir gardé « le moindre souvenir agréable ». Dès le début, elle est entraînée dans la guerre domestique que mène Florette contre Benjamin – un père que Peggy adore au point de se jeter dans ses bras lorsque, en rentrant à la maison, il siffle une mélodie de sa composition pour « l'attirer » en bas. Bien qu'elle reproche à ses parents de l'avoir mêlée à leurs problèmes – une situation qui, de son point de vue, l'a rendue « précoce », c'est-à-dire, selon elle, sexuellement précoce –, elle reproduit la même erreur dans sa vie conjugale, en poussant ses enfants à prendre parti dans ses conflits avec Laurence Vail et Kay Boyle.

Lorsque Peggy a 13 ans, son père « s'est plus ou moins libéré d['eux] ». Il commence à passer plus de temps à Paris, où il engloutit une grande partie de sa fortune en l'investissant dans une entreprise qui propose d'installer des ascenseurs dans la tour Eiffel. Selon le comptable de Peggy, Bernard Reis, elle aurait hérité d'environ 200 millions de dollars si son père avait choisi de rester dans l'entreprise familiale au lieu de faire cavalier seul.

Au printemps 1912, Benjamin Guggenheim réserve une place pour retourner à New York sur un navire à vapeur, qui reste finalement bloqué à quai par une grève d'ouvriers. Résolu à rentrer chez lui à temps pour l'anniversaire d'Hazel, il achète des billets – pour lui-même, son secrétaire-valet, son chauffeur et (même si le fait n'est pas avéré) sa maîtresse – sur le paquebot *Titanic*. Selon le steward de bord qui apportera la terrible nouvelle à Florette, alors que le navire coulait, Benjamin et son secrétaire déclinèrent les gilets de sauvetage qu'on leur proposait. Vêtus de leurs habits de soirée, ils aidèrent leurs compagnons de voyage à embarquer dans les canots de sauvetage.

Peggy affirma ne s'être jamais remise de la perte de son père. Pendant le reste de sa vie, écrit-elle, elle chercha un homme capable de le remplacer. Des années après cette tragédie d'enfance, elle est en mesure de l'évoquer avec ironie, fournissant ainsi à Michael Wishart une belle chute pour un passage de son livre de souvenirs, *High Diver*[1] : « Mon amitié avec Peggy fut ponctuée de mésaventures. Nous restâmes coincés ensemble dans un ascenseur, suspendus dans cette petite cage en fer que Cocteau qualifia de prototype d'un autre âge, ou cette fois encore, lors d'une tempête violente, quand notre petit bateau se dirigeant sur Capri effectua un salto arrière en tentant de pénétrer dans le port de Sorrente. Le père de Peggy s'était noyé sur le *Titanic* et elle songea qu'il eût

---

1. Peintre figuratif britannique et filleul de Peggy Guggenheim, Michael Wishart publia en 1977 ce livre de souvenirs qui fit scandale et ne parut en France qu'en 2016, sous le titre *Le Saut de l'ange* (trad. Catherine Piola, Paris, Payot).

été désobligeant de la part du destin de frapper deux générations de la même manière. »

La disparition de Benjamin a des répercussions immédiates sur sa famille. Une fois révélé qu'il a perdu des millions dans ses expériences parisiennes, les oncles Guggenheim se réunissent pour décider de la manière de conserver à Florette et ses filles plus ou moins le même train de vie que celui auquel elles ont été habituées. Lorsque Florette comprend que ses beaux-frères l'ont protégée de la vérité, elle vend ses bijoux et ses fourrures, et s'installe avec ses filles dans un logement plus modeste.

Peu après, le grand-père maternel de Peggy, James Seligman, décède en laissant à Florette un héritage conséquent. Et, en 1919, pour ses 21 ans, Peggy reçoit la somme de 450 000 dollars (soit environ 4,25 millions d'euros actuels). Ses oncles lui suggèrent de placer cet argent dans un fonds d'investissement et de vivre de ses rentes, qui représenteront plus de 20 000 dollars par an (soit un dixième de ce que cette somme représenterait aujourd'hui). Lorsque Florette meurt à son tour en 1937, Peggy hérite de 450 000 dollars supplémentaires. Ce qui nous ramène à la question de savoir de combien d'argent disposait Peggy Guggenheim.

Elle est riche par rapport à la plupart des gens, mais pas tout à fait selon le standard des Guggenheim, et ses revenus restent modestes en comparaison de la fortune dont sa famille a joui et qu'elle a dépensée librement dans l'enfance de Peggy. Néanmoins, ses amis lui supposent des ressources illimitées et prennent les élans économes qui tempèrent sa générosité pour les manifestations d'une nature égoïste et avare. Comme personne (y compris Peggy, semble-t-il) ne connaît précisément l'ampleur de sa fortune, les spéculations sur ses revenus vont bon train.

Mémoires de Montparnasse contient une scène dans laquelle apparaissent Peggy et Laurence Vail (sous le nom de Sally et Terence Marr) et qui commence par une discussion sur les revenus de Sally.

> – L'argent, dit [Bob], n'est pas aussi important que le pense Fitzgerald, mais il faut bien en avoir. Pas trop, cependant. Vous le comprendrez quand nous déjeunerons demain avec Sally et Terence Marr. [...] Des gens merveilleux, et qui seraient parfaitement heureux si seulement elle n'avait pas tout ce foutu argent.
> – Combien a-t-elle ? demanda Graeme.
> – 20, 30 millions, comment le saurais-je ? Je parie qu'elle l'ignore elle-même.

Dans *Of Mortal Love* de William Gerhardie, Peggy apparaît sous les traits de Molly, une « riche Américaine » : « [Elle] était riche en effet, mais se plaignait de récentes coupes sombres dans ses revenus, ce à quoi Walter et Dina réagirent avec la douloureuse surprise des pauvres à qui l'on apprend que les riches sont pauvres aussi. »

En 1931, Charles Henri Ford raconte à son père : « Djuna [Barnes] et moi avons été invités l'autre soir à dîner par Peggy Guggenheim, une millionnaire – elle a

Peggy Guggenheim dans une robe de Paul Poiret (1925).

30 millions de dollars sur son compte, et elle en aura 70 à la mort de sa mère. […] De retour à la maison, Djuna a dit : à la voir, qui croirait qu'elle possède 70 millions de dollars ? »

Djuna Barnes est l'une des personnes qui auront le plus profité (pendant une grande partie de sa vie) de la générosité de Peggy – et celle aussi qui se plaint énormément de son avarice. À partir des années 1920, Peggy envoie à Barnes une allocation mensuelle, la suspendant seulement temporairement lorsque Djuna a mis sa patience à bout ou lorsque Peggy estime qu'il serait plus utile à Barnes d'essayer de vivre de ses propres moyens. Elle adresse à son ancienne professeur d'université, Lucille Kohn, « des centaines de billets de 100 dollars ». Elle prête à Berenice Abbott de quoi s'acheter une caméra, donne à la poétesse Margaret Anderson 500 dollars pour publier la *Little Review* (qui publiera en feuilletons l'*Ulysse* de James Joyce), lève des fonds pour permettre à l'anarchiste Emma Goldman d'écrire son autobiographie, offre à son amie Emma Margaret Fitzgerald un voyage en Europe pour se soigner, et verse une pension annuelle à la veuve indigente de son amant, John Ferrar Holms.

En 1925, Peggy finance l'ouverture d'un magasin à Paris, rue du Colisée, pour présenter les abat-jour très originaux créés par son amie, la poétesse Mina Loy. Le magasin vend aussi des sous-vêtements et héberge une exposition des peintures de Laurence. Si la boutique se révéla un fiasco, elle représente la première tentative de Peggy d'exposer et de vendre de l'art.

Pendant l'occupation allemande, Peggy donne suffisamment d'argent à André Breton pour que sa famille et lui puissent quitter la France, et elle entretiendra Max Ernst longtemps après leur arrivée aux États-Unis. Des années après leur divorce, elle continue d'envoyer une indemnité à Laurence Vail, et lorsque Robert McAlmon, un ami de sa période parisienne, attrape la tuberculose, elle lui signe un chèque tous les mois. Bien sûr, il s'agit chaque fois de contributions directes, sans aucune garantie de remboursement ou de compensation. Et elle consacre une fraction encore plus importante de son héritage à entretenir des peintres et des sculpteurs par l'achat de leurs productions.

Pourtant, tout le monde semble avoir une anecdote sur sa pingrerie, son insistance maladroite (mais compréhensible) à vérifier l'addition pour les repas qu'elle offre à ses amis. Au début de son amitié avec Djuna Barnes, elle fait à l'écrivaine l'étrange cadeau – que Barnes juge insultant – de vieux sous-vêtements plusieurs fois reprisés, mais que la destinataire porte cependant lorsqu'elle consigne ce reproche.

Le personnage inspiré de Peggy dans *Mémoires de Montparnasse* négocie fermement pour réduire le prix d'entrée à une séance de film pornographique, à laquelle elle se rend avec ses amis. Des années plus tard, certains amis se plaignent que, lors de ses soirées à Manhattan, Peggy ne serve que des chips et du whisky bon marché, qu'elle reverse en cachette dans des bouteilles vides de *single malt*. Au menu de ses dîners maison, on trouve parfois de la soupe de tomate en conserve Campbell. Un assistant qui travailla pour elle à Venise se rappelle avoir été autorisé à servir un verre de vermouth aux clients, mais seulement après que ces derniers avaient accepté d'acheter un tableau.

La critique acerbe de sa frugalité se poursuit après sa mort, de la manière la plus flagrante dans sa biographie par Anton Gill, *Art Lover*, publiée en 2003 : « Peggy appréciait le rôle de maîtresse de maison dans son premier vrai foyer et commença rapidement à irriter Laurence avec son habitude de tenir des comptes ménagers précis, voire méticuleux. Chaque centime devait être justifié, et le moindre article d'épicerie notifié. Ce n'était pas seulement de l'avarice – Peggy aimait la comptabilité, et portait dans son sang un sens de la valeur de l'argent. » Que dire de l'oxymore employé par Andrew Field dans sa biographie de Djuna Barnes pour décrire Peggy : une « bienfaitrice parcimonieuse » ? Et dans celle de Jackson Pollock, Deborah Salomon fait référence à la « pingrerie caractéristique » de Peggy ou sa « pingrerie singulière ».

Selon l'historien d'art John Richardson : « Peggy était avare. Lors de ses fêtes à Venise, elle servait toujours le vin rouge italien le moins cher qu'on puisse acheter. Et la nourriture était horrible. Mais je pense qu'elle économisait de l'argent pour acheter de l'art. Le reste ne l'intéressait pas beaucoup. Elle était avare avec son argent, mais généreuse d'elle-même. »

Apparemment, Peggy utilise parfois l'argent pour exercer son pouvoir de manière destructrice. Dans un bref documentaire réalisé dans ses dernières années, *L'Ultima Dogaressa*, un jardinier qui travaillait à son palais vénitien se souvient qu'elle rechignait à lui payer un salaire décent. Pendant son mariage avec Laurence Vail, elle prend un plaisir évident à lui dire combien il est autorisé à dépenser et pour quel usage. Mais le compte rendu peut-être le plus accablant de ces tentatives de prise de contrôle sur les autres émane du compositeur John Cage qui, avec son épouse Xenia, était hébergé dans la maison de Peggy à Manhattan au début des années 1940.

Peggy montra le plus mauvais côté de sa nature lorsqu'elle apprit que Cage, quasiment inconnu à l'époque, préparait un concert de percussions au musée d'Art moderne. Peggy voulait qu'il donne un concert pour l'ouverture de sa galerie Art of This Century à l'automne, et elle fut tellement agacée par le concert du MoMA, qui précéderait son inauguration, qu'elle annula celui prévu pour sa galerie et retira son offre de payer pour le transport des instruments de Cage depuis Chicago. Elle informa également Cage et Xenia qu'ils devaient quitter la Hale House. Atterré par cette décision radicale – il était littéralement sans le sou à l'époque –, Cage fendit la foule habituelle de fêtards et se retira dans une pièce qu'il pensait vide, où il éclata en sanglots. Mais une autre personne était présente, assise dans un fauteuil à bascule et fumant un cigare. « C'était Duchamp, raconta Cage, il était seul et en fait, sa présence m'a apaisé. » Si Cage ne se souvient pas exactement de ce que Duchamp lui a dit, cela concernait cependant la nécessité de ne jamais dépendre des Peggy Guggenheim de ce bas monde.

Peggy s'amuse à jouer avec les gens. Et elle sait qu'elle peut compter sur l'argent – le sien – pour décontenancer, offenser et déclencher des ragots. Rosamond Bernier se souvient avoir assisté à un vernissage à la galerie Art of This Century, où Peggy lui proposa un catalogue, la gratifia d'une dédicace personnelle, puis exigea qu'elle lui réglât 6 dollars. La même anecdote concerne la tante Irene de Peggy, qui se rendit à la galerie et fut également invitée à régler son exemplaire du catalogue.

Dans *Mistress of Modernism*, la biographie honnête et instructive qu'elle publia en 2004, Mary V. Dearborn raconte qu'ayant emmené des amis à dîner dans un restaurant vénitien, Peggy leur précise qu'elle les invite – une affirmation dont ils se méfient (peut-être par expérience ou en raison des rumeurs). Aussi prennent-ils soin de consommer très peu – et sont ensuite surpris et bien punis lorsque Peggy ramasse l'addition. Celle-ci plaisante souvent au sujet de l'argent et des vêtements à la mode qu'elle peut s'offrir. Lorsque son amie la romancière Antonia White la félicite pour son luxueux bagage en pleine peau, Peggy lui répond que c'est mal la connaître : ce sac n'est pas en vrai cuir et ne lui a coûté que 5 shillings. Peu après, quand White désigne la jolie écharpe qu'elle porte, Peggy réplique : « Ça, je m'en sers pour faire les poussières. »

À Londres, en 1936, après une dispute sur la question de savoir si Peggy paiera le retour de Djuna Barnes aux États-Unis, Peggy explique à Emily Coleman que « ses finances étaient au plus bas et que cela l'inquiétait ; elle donnait tellement d'argent autour d'elle qu'il ne lui en restait que très peu. J'ai failli pleurer, parce que je n'arrive jamais à savoir si Peggy est une sainte ou la personne la plus mesquine que j'aie jamais rencontrée – et elle en est au même point. Le fait est qu'elle distribue les trois quarts de son revenu, au point où elle s'inquiète parfois de savoir si elle a assez d'argent pour s'acheter une robe ».

Le comportement de Peggy suggère qu'elle fut souvent blessée, agacée ou exaspérée par des amis qui attendaient d'elle qu'elle payât pour tout et qui l'accusaient, ouvertement ou en privé (sans qu'elle l'ignorât), de se montrer peu généreuse. On ressent dans ses actes l'irritation de quelqu'un qui s'estime utilisé, apprécié et aimé uniquement (comme ce fut apparemment le cas, entre autres, avec Max Ernst) pour son argent. Dans son journal, Emily Coleman rapporte que John Holms, l'un des amants de Peggy, affirma que pour celle-ci, un ami était forcément quelqu'un qui en voulait à son argent.

Un passage touchant dans les mémoires de Peggy décrit comment Laurence Vail confirma ses pires craintes : « En raison de mon argent, je jouissais d'une certaine supériorité sur Laurence et je m'en suis servie d'une manière atroce, en lui disant que cet argent m'appartenait et qu'il ne pouvait pas en disposer librement. Pour se venger, il essaya d'aggraver mon sentiment d'infériorité. Il me dit que j'avais de la chance d'être acceptée dans la bohème et que, puisque je n'avais que mon argent à offrir, je ferais mieux de le prêter aux gens brillants que je rencontrais et à ceux qu'on m'autorisait à fréquenter. »

Encore aujourd'hui, cette expression « qu'on m'autorisait à fréquenter » est douloureuse à lire. On y perçoit la voix à peine masquée des angoisses de Peggy – une inquiétude qui ne fera qu'augmenter lorsqu'elle quitte Vail pour John Holms et se met à vivre parmi des amis convaincus que Peggy est incapable de prendre part, ni même de suivre, leurs discussions de haut vol. Que n'aurait-elle donné pour être aussi brillante et talentueuse que les gens dont on lui « autorisait » la compagnie ! Un cercle fermé, dont les seules clefs, pour les femmes (à quelques exceptions près), étaient l'argent ou la beauté.

On fait aussi remarquer à Peggy Guggenheim qu'elle se montre singulièrement indifférente, et même insensible, à la manière inconsidérée, voire cruelle, dont on la traite. Car on lui fait endurer parfois des affronts et des insultes qui en briseraient de plus coriaces. Selon John Richardson : « Peggy avait la peau assez dure. Et même, d'une certaine manière, insensible. Si quelqu'un ne l'aimait pas, elle l'ignorait. Certains lui ont dit de ces choses… La plupart des gens ne leur auraient plus jamais adressé la parole. Mais Peggy semblait accepter tout ça comme si c'était son destin. »

A Not-So-Still Life, le livre de souvenirs du peintre Jimmy Ernst, qui travailla comme secrétaire de Peggy après son retour à New York en 1941, offre une lecture assez différente du personnage. Pour Jimmy, la timidité de Peggy et son insensibilité apparente « étaient le signe d'un passé douloureux. En même temps, elle avait des éclairs de génie, de charme et d'affection qui semblaient toujours douter d'une véritable réciprocité. Ce devait être l'anticipation d'un rejet qui provoquait ses humeurs brusquement changeantes, ses répliques foudroyantes et ses jugements si caustiques – mais jamais au détriment de sa féminité ».

Chapitre V

Son nez

Benita, la sœur aînée de Peggy, est considérée comme la beauté de la famille. Et, dès son plus jeune âge, Peggy s'estime, comme on l'y encourage, être la sœur ingrate. Elle décide de faire quelque chose pour son nez, qu'elle prétend avoir hérité du côté paternel : le « nez en pomme de terre » des Guggenheim. Dans ses mémoires, elle en parle comme elle parle des autres traumatismes de sa vie, en plaisantant : « Au cours de l'hiver 1920, comme je m'ennuyais beaucoup, je n'arrivais à penser à rien de mieux que de me faire opérer du nez pour changer sa forme. Il était horrible, mais après l'opération, c'était indubitablement pire. »

Sur le même ton drolatique, elle livre des détails épouvantables. À l'époque, la chirurgie esthétique est une spécialité si récente que Peggy doit se rendre à Cincinnati pour trouver un médecin disposé à effectuer sa rhinoplastie. Invitée à se choisir un nouveau modèle de nez, Peggy

opte pour quelque chose de poétique, un nez « retroussé comme une fleur », comme dans le poème de Tennyson[1].
Sous anesthésie locale et en proie à la souffrance, Peggy entend le chirurgien dire qu'il ne peut pas achever l'opération, et elle lui répond de laisser les choses en l'état.

Par la suite, ajoute-t-elle, son nez fonctionna comme un baromètre, gonflant par mauvais temps. Tout au long de sa vie, elle reste insatisfaite de son apparence, et en particulier de son nez, que des années d'abus alcoolique n'arrangeront pas. Significativement, elle trouve que Mary Reynolds et Djuna Barnes ont toutes les deux « le genre de nez qui m'avait fait courir jusqu'à Cincinnati, pour rien ». Et elle parle avec joie et gratitude de sa belle-mère, Gertrude Mauran Vail, la première femme qui la complimente sur son apparence, la jugeant même plus jolie que Benita et Hazel. « J'avais été amenée à croire que j'étais laide, parce que mes sœurs étaient de grandes beautés. Cela m'avait donné un complexe d'infériorité. »

À lire les mémoires et les récits mondains, on a l'impression que cette époque regorge de « beautés », de « grandes beautés » et de « beautés célèbres », des femmes comme Nancy Cunard, lady Diana Cooper, Luisa Casati ou Lorna Wishart, des femmes avec peut-être d'autres talents et une originalité de caractère, mais réputées surtout pour leur plastique. De nos jours, même les femmes les plus jolies sont davantage susceptibles d'être recon-

---

1. Alfred Tennyson, *Les Idylles du roi* (1885) : « *tip-tilted like the petal of a flower* ».

nues pour leur activité (top-modèle, actrice, personnalité publique) que comme « beautés », mais à l'époque de Peggy, ces créatures gâtées par la nature étaient surtout célébrées pour leur capacité à attirer, à séduire, à épouser et à briser le cœur d'hommes talentueux, fortunés ou particulièrement remarquables.

C'était presque comme si, pour les femmes, la beauté représentait une carrière possible (quoique de courte durée), une profession à laquelle Peggy se croyait privée d'accès. Elle mentionne pour la première fois son « complexe d'infériorité » en racontant comment un hôtel lui a refusé une chambre sous prétexte qu'elle est juive, et en évoquant ce monde d'opportunités sociales et sexuelles dont elle s'estime exclue parce qu'elle est « moche ».

Comme souvent, ce sont les autres qui pressentent – et adoptent – la triste opinion que Peggy possède d'elle-même. Une amie proche de sa fille Pegeen déclare à Mary Dearborn : « Peut-être que si elle avait eu, je ne sais pas, un nez mieux refait, cela lui aurait permis d'échapper à cette insécurité fondamentale. »

Anton Gill raconte avec une certaine satisfaction les jugements désobligeants portés contre Peggy par des connaissances : « Dans les années 1930, Nigel Henderson, le fils de son amie Wyn, dit qu'elle lui rappelait W.C. Fields, et Gore Vidal fit le même rapprochement des années plus tard. Le peintre Theodoros Stamos déclara : "Elle n'avait pas un nez, elle avait une aubergine", et l'artiste Charles Seliger, pourtant plein de compassion et de considération pour Peggy, se souvenait que, quand il l'avait rencontrée dans les années 1940, son nez était rouge, comme douloureux et brûlé par le soleil : "Pour le dire cruellement, on pouvait difficilement imaginer que quelqu'un puisse avoir envie de coucher avec elle." »

Or, dans les faits, Peggy se vante d'avoir eu plus de 400 amants. Puisqu'elle ne peut pas être belle, elle compensera en devenant séductrice, sexuellement libérée, et disponible. Comme un certain nombre de ses amies, surtout Emily Coleman, elle s'intéresse de près à la sexualité et semble se complaire dans des crises dramatiques et souvent violentes de jalousie intense et d'accusations d'infidélité.

« Elle était d'un physique très ordinaire, déclara Rosamond Bernier, cela explique pourquoi elle se jeta dans le lit de tant d'hommes. » Il n'y a sans doute pas de meilleur moyen pour mesurer l'hypocrisie sexuelle que de comparer le ton de ces remarques avec l'admiration que l'Histoire porte à des hommes dépourvus de charme mais parvenant sans peine à attirer de belles femmes…

Philip Rylands, conservateur de la collection Peggy Guggenheim, propose une vision plus charitable de la vie amoureuse de Peggy : « Je pense qu'une des raisons qui expliquent ses nombreuses aventures est qu'elle s'intéressait aux gens, qu'elle voulait mieux les connaître. »

Convaincue d'être ingrate, Peggy se sent reconnaissante envers les hommes qui (à ses yeux) ne s'arrêtent pas à son apparence, tombent amoureux d'elle et s'attachent à lui fournir une éducation. Cette gratitude lui permet de supporter une série de relations psychologiquement (et physiquement) dévastatrices, dont Peggy tire profit en usant de son argent pour contrôler et même humilier les hommes qui la contrôlent, l'humilient et dépendent d'elle.

Chapitre VI

Éducation

Les récits biographiques sur Peggy Guggenheim, y compris les siens, négligent la période entre 20 et 25 ans, comme si ces années n'avaient été qu'un corridor entre l'enfance et l'âge adulte, une longue attente dans le port avant le départ de son navire pour l'Europe. Mais, en vérité, ce furent des années de formation – passées essentiellement à New York, à rencontrer des gens très différents, entre sa famille et les amis de ses parents.

Peggy est le genre d'élève qui apprend plus de la vie et d'une série de tuteurs soigneusement choisis que d'une scolarité classique telle qu'on la pratiquait alors. Exigeant une bonne éducation pour ses filles, son père envoie la famille accomplir des voyages pédagogiques en Europe, ce qui permet à Florette de rendre visite à des parents Seligman et de séjourner dans des hôtels élégants. Mlle Hartman, la plus mémorable de leurs gouvernantes françaises, introduit les filles à l'art, à l'histoire de France, aux romans britanniques du XIXe siècle et aux opéras de Wagner, mais Peggy se trouve d'autres sujets d'intérêt : à 11 ans, elle tombe amoureuse d'un ami de son père, qui présente l'inconvénient d'être marié.

Peggy suit brièvement les cours pour jeunes filles juives de l'école Jacoby, avant d'en être retirée en raison d'un trouble respiratoire. Même si elle peine à se maintenir à niveau, elle développe une passion pour la littérature. Toute sa vie, elle restera une lectrice vorace, fan de Proust et d'Henry James – les romans de ce dernier, sur des femmes riches courtisées par des chasseurs de dot ou d'innocents Américains s'accommodant mal des collets montés cyniques du Vieux Monde, durent lui sembler un reflet compatissant de sa propre expérience. Dans son roman *Murder! Murder!*, Laurence Vail décrit un personnage, inspiré de Peggy, qui essaie de se concentrer sur un roman de Dostoïevsky, ce qui exaspère le héros, qui s'évertue à lire sa propre poésie à haute voix.

De retour à l'école, Peggy s'y trouve plus à l'aise et décide de pousser jusqu'à l'université. Mais Benita, la sœur aînée adorée, l'incite à renoncer. Alors Peggy se ravise et préfère ne plus poursuivre, une décision qu'elle regrettera toujours. Elle a étudié avec des précepteurs, dont l'une, Lucille Kohn, était une radicale en politique et fut la première, selon Peggy, à lui suggérer qu'il était possible de s'évader de la prison dorée des bals de débutantes et des virées dans les magasins. Quant à Kohn elle-même, elle affirme avoir persuadé

Peggy que les gens tels que les Guggenheim ont le devoir de rendre le monde meilleur.

En 1918, Peggy fait une première vraie tentative pour obtenir son indépendance : avant la fin de la guerre, elle prend un emploi qui consiste à aider les soldats à acheter des uniformes à prix réduit. Mais, débordée et épuisée par cette tâche qu'elle trouve ennuyeuse, elle perd l'appétit et le sommeil, jusqu'à finalement sombrer dans la dépression qui lui déclenchera cette obsession avec les allumettes usagées. Sa situation s'améliore un an plus tard, lorsqu'elle touche son héritage et en profite pour partir en voyage à travers le pays, chaperonnée par une lointaine parente. Au désespoir de Peggy, ses fiançailles avec un aviateur sont rapidement rompues : elle avait osé critiquer le provincialisme de la ville natale du prétendant, Chicago.

À peine remise de son expérience malheureuse avec la chirurgie plastique, Peggy trouve un nouvel emploi dans un cabinet de dentiste – avant d'opter rapidement pour un autre poste, qui va élargir considérablement son horizon. Deux de ses cousins, Harold Loeb et Marjorie Content, possèdent une librairie baptisée *Sunwise Turn* et située sur Vanderbilt Avenue, en face de la gare du Grand Central Terminal.

La cofondatrice de la librairie, Madge Jenison, se rappelle la motivation qui présida à cette initiative : « Pourquoi une femme n'ouvrirait-elle pas une vraie librairie [...] qui regrouperait tout ce qui a trait à la vie moderne parmi les ouvrages qui circulent dans une boutique de ce type et le rendrait disponible, appliquant la tradition d'un esprit professionnel qui met sa connaissance et son intégrité à la disposition de la communauté, qui cherche à savoir ce qu'il ne connaît pas et le découvre, à la manière d'un médecin. Je ne me souviens pas quand j'ai commencé à sentir la nécessité d'ouvrir une librairie d'un genre nouveau en Amérique, mais il fallait que je le fasse tout de suite, et moi-même. »

Ce qui frappe, c'est comment la vision que Jenison avait de sa librairie trouvera un écho, des années plus tard, chez Peggy lorsqu'elle parlera de sa décision de créer une galerie d'art à Londres et plus tard à New York. « Bien sûr, précise Jenison, l'une de nos petites astuces publicitaires fut d'essayer de faire de la boutique un lieu incontournable, quelque chose qui sortait de l'ordinaire et permettait de vivre une expérience particulière même pour le simple acte d'y acheter un livre. » Encore une fois, cet esprit « astucieux » ressemble beaucoup à celui qui orientera l'aménagement et définira le type d'ambiance « incontournable » des galeries de Peggy, Guggenheim Jeune ou Art of This Century.

À l'hiver 1919-1920, écrit Jenison, nous avions huit apprenties non rémunérées – toutes des femmes de grande expérience. Elles vendirent pour des milliers de dollars de livres. Elles remplissaient les factures. Elles balayaient le sol. Elles livraient les commandes. Parfois, elles réussissaient dans toutes ces tâches à la fois. Cachée derrière une monographie, j'ai parfois souri

en regardant [...] Peggy Guggenheim, vêtue d'un manteau de moleskine lui descendant jusqu'aux talons et
doublé de mousseline rose, sortir dans cet accoutrement
pour acheter des ampoules électriques ou des punaises,
récupérer les commandes chez les éditeurs, et revenir
chargée d'un colis – dont la taille aurait découragé
n'importe quel livreur – et d'un état précis des fonds
déboursés.

Quel bouleversement ce doit être pour Peggy, sortant
du milieu conventionnel et confiné que ses parents et
grands-parents ont construit, de rencontrer des écrivains
et des artistes qui s'intéressent profondément à la littérature et à l'art, et d'évoluer dans une librairie qui
fonctionne également comme une galerie et une scène
pour des récitals et des pièces de théâtre ! Même si
elle ne touche aucun salaire, elle est autorisée à acheter
des livres au rabais et dévore les classiques contemporains. Des personnalités telles qu'Amy Lowell, Lytton
Strachey ou Marsden Hartley passent par *Sunwise Turn*,
et lorsque des clients encouragent Peggy à étudier l'histoire de l'art, elle se plonge dans les écrits de Bernard
Berenson.

Elle s'oriente ainsi vers une carrière qu'elle mettra vingt
ans à se forger – une vocation qu'elle aurait pu suivre
plus tôt si elle n'avait pas été ralentie par sa recherche
compulsive d'une validation personnelle, sexuelle et intellectuelle de la part d'hommes qu'elle considère comme

ses mentors ou (en termes freudiens) de figures de subs-
titution au père bien-aimé, disparu sur le *Titanic*.

Parmi les personnes qu'elle rencontre alors se détache
un couple qui, peut-être plus que tous ses nouveaux
amis, change sa vie : l'éditeur Leon Fleischman et sa
femme Helen. Ce sont eux qui la présentent à Alfred
Stieglitz et, plus important encore, à Laurence Vail.

Ambitionnant de s'imposer comme dramaturge, Vail
porte à cette époque de longs cheveux blonds, tombant sur
un profil aquilin impressionnant, de beaux yeux bleus et
un air de confiance et de légitimité gagné par sa popularité
– et sa notoriété – dans la *Café society*[1] de New York et de
Paris. Partout, l'arrivée de Vail indique que la fête a commencé, et Peggy n'a jamais rencontré personne comme lui.

> Il avait environ 28 ans à l'époque, et m'apparais-
> sait comme venu d'un autre monde. Il était le premier
> homme que je rencontrais à ne jamais porter de cha-
> peau. Ses beaux cheveux dorés volaient librement dans
> le vent. J'étais choquée par sa liberté d'être et en même
> temps fascinée. [...] C'était comme une créature sauvage.
> Il semblait ne jamais se soucier de l'opinion d'autrui.
> Marchant dans la rue avec lui, j'avais l'impression que
> j'allais pouvoir soudain m'envoler – son comportement
> sortait tellement de l'ordinaire.

---

1. On nomme *Café society* le milieu mondain et cosmopolite qui évolue
entre New York, Londres, Venise ou Paris pendant l'entre-deux-guerres.
À partir des années 1950, il sera remplacé par la *jet-set*.

Laurence Vail jeune homme.

Lorsque, en 1920, Peggy retourne en Europe, elle n'est plus cette jeune fille maussade, qui s'ennuie et sirote du thé avec les relations de sa mère. Transformée par les livres qu'elle a lus et par les gens qu'elle a rencontrés à la librairie, elle ressent une véritable « frénésie » à la perspective de découvrir les grandes œuvres d'art. Elle sait où trouver chaque peinture importante et insiste pour les voir toutes, même si cela implique un détour compliqué dans quelque village reculé. Quand un ami lui assène qu'elle ne comprendra jamais l'analyse critique de Bernard Berenson, elle le prend au mot : « J'ai immédiatement acheté et englouti sept ouvrages de ce grand critique. Ensuite, j'allais toujours chercher à repérer les sept points de Berenson. Si j'arrivais à dénicher un tableau avec une valeur tactile[1], j'étais enchantée. »

À Paris, Leon et Helen Fleischman mettent à nouveau Peggy en présence de Vail, qui, avec l'approbation et l'encouragement de Leon, entretient une liaison avec Helen. Pour Peggy, cette deuxième rencontre avec Laurence correspond au moment où elle décide que sa virginité est un encombrement dont elle doit se libérer immédiatement.

Vail vit avec sa mère, une aristocrate de la Nouvelle-Angleterre, et sa sœur Clothilde, qu'on prendrait pour sa jumelle et avec laquelle il a une relation si proche que

---

1. Dans *Dessins des peintres florentins, classés, critiqués et étudiés comme documents pour l'histoire et l'appréciation de l'art toscan* (1903), Bernard Berenson propose des canons critiques basés sur la reconnaissance, dans l'œuvre d'art, de « valeurs tactiles » et de « valeurs de mouvement ».

Peggy remarqua qu'ils étaient « faits pour l'inceste, et en ne s'y livrant pas, ils exacerbaient leur passion frustrée ». Il est impatient de s'éloigner de sa famille, et Peggy de vivre sa première expérience sexuelle. Après des débuts terriblement maladroits, non contente de s'abandonner entièrement à Vail, elle le stupéfie (selon ses propres termes) en exigeant d'essayer toutes les positions sexuelles qu'elle a observées dans un recueil de fresques érotiques, découvertes dans les ruines de Pompéi.

Le début de leur union n'est pas moins chaotique. Laurence demande Peggy en mariage depuis le sommet de la tour Eiffel, puis change d'avis lorsqu'elle accepte ; il fuit la capitale pour Rouen, puis revient et découvre les amis et la famille de Peggy en train d'essayer de la dissuader de l'épouser. On convient qu'il se rendra à Capri, tandis que Peggy rentrera à New York, pour prendre le temps de la réflexion. La veille de leurs départs respectifs, Laurence se présente à la chambre d'hôtel de Peggy et la persuade de l'épouser dès le lendemain, le 10 mars 1922, au bureau d'état civil du 16e arrondissement de Paris. En chemin vers la mairie, Vail invitera les clochards et les prostituées qu'il croise à venir assister à la cérémonie.

Le surlendemain, après une fête bien arrosée, Peggy regrette déjà sa décision : « Dès que je me suis retrouvée mariée, je me suis sentie extrêmement déprimée. » Lorsque Laurence s'était mis à douter, Peggy était déterminée à se marier. « Maintenant que j'avais obtenu ce que je désirais tant, je n'y attachais plus autant d'importance. » Dix ans plus tard, Peggy dira qu'elle n'a jamais été amoureuse de Vail : « Je voulais juste baiser. »

Peggy et Laurence partent en voyage de noces, s'arrêtent à Rome, et cherchent à affirmer leur indépendance en se comportant comme d'anciens amants. Laurence loue une villa sur Capri, où ils sont rejoints par sa sœur, que Peggy appelle « l'épine dans mon mariage ». D'une possessivité farouche à l'égard de son frère, Clothilde « m'a toujours donné l'impression que j'étais entrée par erreur dans une pièce depuis longtemps occupée par quelqu'un autre, et que je devais soit me cacher dans un coin, soit accepter de me retirer poliment ».

Après la lune de miel, le frère et la sœur se rendent sur la Côte basque, et Peggy part rendre visite à Benita. De retour à New York, Peggy découvre qu'elle est enceinte et revient alors en Europe. Là (avec une prévoyance remarquable, compte tenu du caractère bohème de leur mode de vie), Laurence et elle décident que l'enfant naîtra à Londres pour que, si c'est un garçon, il ne soit pas soumis à la conscription militaire française.

Peggy loue une maison à Kensington. À l'issue d'un dîner tumultueux (un invité lui a jeté un coussin à la figure et elle a perdu les eaux), le bébé voit le jour le 15 mai 1923. Peggy et Laurence souhaitent l'appeler Gawd, mais le bon sens ou la bienveillance l'emporte, et ils s'entendent finalement sur Michael Cedric Sindbad Vail.

Sindbad est le prénom que Laurence préfère, et auquel son fils répondra – jusqu'à ce que, plus tard, ses amis parisiens se mettent à l'appeler Mike.

Parmi les passages les plus stupéfiants des mémoires de Peggy, on en trouve un qui paraît aujourd'hui plus perturbant que la description de ses exploits sexuels (et avortements) qui dérangeait ses contemporains : le compte rendu de sa première expérience matrimoniale. À l'époque, la violence conjugale n'est pas considérée comme aussi choquante qu'aujourd'hui. De nombreuses personnes, y compris parmi les parents et amis de Peggy, sont témoins de la violence de Laurence et ne se soucient pas d'intervenir. Ce n'est que lorsque les choses prennent vraiment une tournure effrayante que les amis de Peggy l'encouragent à quitter Vail – pour un autre homme.

La manière dont Peggy a vécu ces événements est rapportée dans les biographies qu'on lui consacra et dans d'autres récits produits par des membres de son cercle social – même si certains auteurs, comme John Glassco, semblent n'avoir rencontré M. et Mme Laurence Vail que pour de rares échanges amicaux. La litanie des mauvais traitements que Peggy récite dans ses mémoires fait écho au sentiment de menace qui imprègne le roman de Vail. Si *Murder! Murder!* est bien une œuvre de fiction, éventuellement composée sous l'influence de l'alcool et de modèles littéraires protogothiques, comme *Les Chants de Maldoror* du comte de Lautréamont, le roman n'en est pas moins dérangeant.

Son héros, Martin Asp, erre dans la ville à la recherche de femmes à assassiner. Il en a peut-être déjà tué une, mais il ne sait plus très bien. De temps en temps, il rentre chez lui pour des disputes épiques avec Polly, son épouse juive revêche et obsédée par l'argent, ou pour des entrevues avec sa belle-mère, *Flurrie* – qui partage avec Florette Guggenheim le tic de tout répéter trois fois.

Lorsque Peggy se déclare offensée par le personnage qu'elle a inspiré à son mari pour un projet de roman « extrêmement drôle », Laurence jette son manuscrit au feu et dicte une version moins blessante à une dactylo. Il est cependant difficile d'imaginer une ébauche plus odieuse que le texte qui a survécu, avant d'être publié en 1931 : « Une dispute juive au sujet de l'argent revêtait un certain aspect qu'aucun chrétien comme Martin ne pouvait comprendre : il percevait les faits sordides, les détails mesquins, mais pas la profonde émotion humaine. » Le livre est entièrement truffé de diatribes antisémites, qui semblent bien émaner de l'auteur plutôt que de son héros.

On y trouve aussi un passage où Martin manque de noyer Polly, une scène qui correspond à un événement consigné dans les mémoires de Peggy.

Soudain, j'entends couler l'eau chaude. Je vois la vapeur. Je lève les yeux. Polly a ouvert le robinet d'eau chaude. Je suis très en colère. Croit-elle que je l'ai jetée dans la baignoire pour l'amuser ?

Je me précipite sur le rebord de la baignoire. Je pleure :

– Tu t'rappelles l'histoire des mariées dans leur bain. Tu t'rappelles ce que Smith faisait à ses épouses ?

Je l'attrape fermement par les cheveux, ensuite j'appuie, j'appuie, j'appuie. Et maintenant le cou, le menton, la lèvre inférieure, la lèvre supérieure, le nez, les yeux, le front s'enfoncent peu à peu. Soudain – suis-je un faible ? Un névrosé ? Hamlet ? – je relâche. Je n'arrêtais pas de penser aux raisons pour lesquelles il ne fallait pas qu'elle meure.

Une caricature est une sorte de portrait, et derrière la grotesque Polly de Vail on distingue Peggy, même si Martin la décrit avec un dédain et un mépris quasi absolus. Parmi les qualités qu'il moque en elle se trouve la propension à faire des dons pour des causes nobles – un trait de la culture dans laquelle Peggy a grandi et de l'enseignement de sa préceptrice, Lucille Kohn.

Elle réalise que la Fondation pour les femmes aux pieds plats a sollicité son aide à plusieurs reprises. Doit-elle envoyer un chèque à la FFPP, ou bien mettre la somme de côté pour aider Martin à sortir de son sordide pétrin ? […] Soudain, elle se rappelle que, depuis un an, elle néglige l'Association pour la réforme carcérale de l'Iowa. Elle s'assoit, remplit un chèque illisible à l'ordre de l'ARCI.

En vérité, Laurence Vail sera l'un des principaux bénéficiaires de la *noblesse oblige*[1] de Peggy. Gratifié de 300 dollars par mois en vertu de leur contrat de divorce en 1928, il demeure une présence constante et bienve-nue dans la vie de Peggy, au point qu'elle continuera de lui envoyer de l'argent jusqu'à sa mort à Paris, quarante ans après la fin de leur mariage. Lorsqu'elle revient en

1. En français dans le texte original.

Europe en 1947 après avoir fermé sa galerie new-yorkaise, elle part à Capri en compagnie de Vail et de sa troisième épouse, la critique d'art Jean Connolly, amie de Peggy.

Parmi les « cinq maris et quelques autres hommes » du titre original de ses mémoires, Laurence Vail est le seul avec lequel Peggy entretient une relation durable. En partie parce qu'il est le père des seuls enfants qu'elle aura eus, mais aussi parce que, lorsqu'il n'est pas soûl, il est capable de prodiguer de bons conseils et de jouer ce rôle de parent responsable par intermittence, qui assume ses responsabilités dès qu'il est question de sa progéniture, une présence appréciable dans la vie de ses proches.

Peggy présentera les œuvres[1] de Vail dans sa galerie et conservera jusqu'à sa mort, dans sa chambre à coucher, plusieurs des bouteilles de vin décorées par ses soins. Ils ont voyagé ensemble et cohabité avec leurs amants et conjoints suivants. Peggy s'est tournée vers Vail pour écouter ses conseils au sujet de ses problèmes de couple, sur l'édition de ses mémoires et sur ses relations étroites avec leur fils et leur fille. Et, au final, c'est Vail qui l'a convaincue de ne pas faire don de sa collection à la Tate Gallery de Londres, mais de la conserver à Venise. À cause de son comportement si instable et de ses œuvres plutôt médiocres, on a sous-estimé le rôle de Laurence Vail comme l'un des principaux conseillers de Peggy.

Lorsque Vail projette violemment Peggy contre un mur, lors du réveillon du Nouvel An de 1925, au cours

---

1. Laurence Vail fut à la fois romancier, poète, peintre et sculpteur.

d'un voyage en Italie, elle est à nouveau enceinte. Cette fois, d'une fille : Jezebel Marguerite « Pegeen » Vail naît le 18 août – une naissance précipitée, selon Peggy, à cause d'un plat de haricots que Laurence lui a jeté sur les genoux. De nouveau, ils ont quitté la France. Cette fois, l'enfant a vu le jour en Suisse. Puis, ils reviennent dans le sud de l'Hexagone et s'installent dans une ancienne auberge, là où Jean Cocteau abrita ses amours avec Raymond Radiguet.

Accompagnés de leurs deux enfants en bas âge, d'une nourrice, d'une cuisinière, de chiens de berger, de serviteurs et d'une succession d'invités, ils mènent une vie familiale haute en couleur, entrecoupée de séjours dans des stations de ski et à Paris, et émaillée de scènes de plus en plus terrifiantes, au cours desquelles Laurence frappe Peggy et se voit même arrêté par la police française – non pas pour violence conjugale, mais pour mise en danger de la vie d'autres clients dans un bar. Un article du *New York Times*, daté du 30 décembre 1926 et intitulé « L'amour lève la peine d'emprisonnement de Laurence Vail quand le Français qu'il a frappé gagne le cœur de sa sœur », rapporte que le « dramaturge américain » Laurence Vail a été condamné à trois mois de prison pour avoir, dans un café du quartier Montparnasse, frappé un certain capitaine Alain Lemerdy à la tête, à l'aide d'une bouteille de champagne. La plainte est finalement retirée lorsque Lemerdy tombe amoureux et décide d'épouser la sœur de l'accusé, Clothilde.

Au cours de l'été 1927, Peggy apprend par hasard (après avoir ouvert un télégramme adressé à Laurence, lui demandant d'annoncer la mauvaise nouvelle à Peggy avec ménagement) que sa sœur Benita, la personne que Peggy aimait le plus au monde, est morte en couches. Au mois d'octobre suivant, alors que le comportement de Laurence s'est aggravé au point que les amis de Peggy commencent à lui conseiller de divorcer, une autre tragédie familiale la détourne de ses problèmes de couple.

À New York, où la petite sœur de Peggy, Hazel, venait d'arriver après avoir quitté Paris en apprenant que son mari demandait le divorce, les deux jeunes fils de celle-ci se sont tués en chutant de la terrasse de l'appartement d'un cousin, situé au dixième étage.

Le compte rendu journalistique récapitule l'enchaînement des faits qui ont mené à la tragédie, mais il reste difficile de comprendre comment l'accident a pu se produire : Hazel « était assise sur un banc ou contre le parapet, dos à la rue. Le plus jeune garçon était dans ses bras. Terence, jaloux de voir son petit frère occuper une place privilégiée dans le giron maternel ou voulant profiter de la vue, s'est mis à pousser et à tirer, essayant de grimper sur les genoux de sa mère. Dans la confusion, l'un des enfants a basculé de l'autre côté. [Hazel] s'est levée pour tenter de le rattraper et l'autre enfant est tombé à son tour ». Mais l'article n'explique pas pourquoi la mère désemparée n'a pas appelé à l'aide ; c'est un voisin qui a téléphoné à la police. Si l'opinion générale en conclut qu'Hazel a tué ses fils, la mort des garçons est jugée officiellement accidentelle. Sombrant dans la dépression, Hazel est ensuite renvoyée en Europe pour se rétablir.

À cette époque, Peggy a décidé de quitter Laurence – une décision facilitée par le fait qu'elle n'est plus sans perspective. Elle est en effet tombée amoureuse de l'écrivain et critique John Holms, et Emma Goldman, qui vit tout près d'elle à Saint-Tropez, l'encourage au divorce. Emma Goldman partage sensiblement les mêmes opinions politiques que Lucille Kohn, la préceptrice de Peggy. Comme celle de Kohn, son influence incite Peggy à se montrer plus courageuse qu'elle n'a appris à l'être. Depuis son arrivée aux États-Unis en 1885, venant de Russie, Goldman s'est taillé une belle réputation de militante, écrivaine, conférencière et organisatrice syndicale – elle défend les droits des femmes, l'égalité pour les homosexuels, le contrôle des naissances et la justice sociale.

Emma semble ne pas se préoccuper du fait que Peggy vient d'une classe sociale qu'elle et ses camarades anarchistes ont justement prise pour cible. L'amant de Goldman, Alexander Berkman, est allé en prison pour avoir tenté de tirer sur l'industriel Henry Clay Frick, qui évolue dans les mêmes cercles que les Guggenheim. Par pur hasard (sa femme s'étant blessée à la cheville), Frick avait décidé de ne pas embarquer sur le *Titanic*, dont le naufrage coûta la vie au père de Peggy. Aujourd'hui, la collection Frick est logée dans un musée de la 5e Avenue, non loin de celui que l'oncle Solomon avait commencé à établir.

Déportée des États-Unis en 1920 et écœurée par le climat politique sévissant en Russie et en Allemagne, Emma Goldman mène pendant quelque temps une vie errante et incertaine. Pour l'inciter à écrire l'histoire de son parcours tumultueux, ses amis décident de lancer une collecte de fonds qui permettra à Emma et à Berkman (sorti de prison) de survivre pendant qu'elle travaillera à son livre, sur lequel on fonde de grands espoirs – à juste titre, comme la suite le montrera.

Peggy amorce la campagne de collecte en donnant 500 dollars et continue à soutenir Emma tandis qu'elle rédige ses mémoires, dans une villa près de Saint-Tropez. Une jeune écrivaine du nom d'Emily Coleman, qui a envoyé à Goldman une lettre d'admiratrice en 1925, est engagée pour assister Emma et corriger son manuscrit.

Dans son journal, Emily Coleman se plaint de l'incapacité de Goldman à écrire avec lucidité : « Parfois, c'est plus que je ne peux en supporter. » Coleman accomplit un remarquable travail de correction, car plus de quatre-vingts ans après sa publication, *Living My Life*[1] a conservé toutes ses qualités de clarté et de grande vivacité. L'énergie que dégage le style de Goldman permet d'imaginer quelle fut sa force de caractère. Une grande partie de son expérience – donner des discours publics, manifester et faire la grève, visiter d'autres militants en Europe, travailler en usine

---

1. *Vivre ma vie. Une anarchiste au temps des révolutions* d'Emma Goldman est annoncé à paraître, pour la première fois dans son intégralité, pour fin 2018, aux éditions L'Échappée.

et mettre des enfants au monde, aider Berkman dans sa tentative d'assassinat contre Frick, puis mener campagne pour obtenir sa libération de prison, prendre des amants quand elle le souhaite, quitte à aimer deux hommes en même temps –, tout cela dut paraître bien exotique à Peggy. Tout comme la valeur qu'Emma attachait à ses idéaux, à son travail et à la liberté de vivre à son gré.

Après quelques hésitations réciproques, Peggy et Emily Coleman finissent par devenir amies. Elles ont beaucoup en commun. Toutes deux sont américaines, vivant en Europe, riches et indépendantes – même si la rente mensuelle de Coleman n'est pas aussi conséquente que celle de Peggy. Elles sont toutes deux obsédées par le sexe et consacrent une bonne partie de leur vie à des amours passionnelles et autodestructrices. Emily professe que la seule façon de connaître quelqu'un est d'avoir avec lui des rapports sexuels. Les deux femmes sont mères, avec des visions iconoclastes sur l'éducation des enfants : divorcée, Emily a laissé son fils John aux soins d'une gouvernante russe installée dans la banlieue de Paris. Toutes deux ont subi des dépressions nerveuses – Peggy a connu cette petite obsession avec les allumettes brûlées, mais le cas d'Emily a nécessité un séjour en asile, où elle fut traitée pour une psychose post-partum, qui deviendra le sujet de son premier roman, *A Shutter of Snow* (1930).

Toutes deux s'estiment destinées à vivre en dehors des conventions de la femme au foyer et à s'inventer une existence taillée sur mesure – même si, à l'époque de leur rencontre, aucune d'entre elles ne sait de quoi sera faite cette existence. Leur profonde amitié, malgré son caractère d'émulation et en dépit de fréquentes altercations, va perdurer pendant des années, dépassant largement en durée la relation que chacune d'entre elles a nouée avec Emma Goldman, ou avec n'importe lequel des hommes qu'elles fréquentent – des amants pour lesquels à l'occasion elles devenaient rivales, ou qu'elles s'échangeaient à l'amiable.

La relation de Peggy avec Emily Coleman fait partie de ces amitiés féminines qui eurent un profond retentissement dans sa vie – comme ce fut le cas pour Coleman. Dans leurs lettres, elles se montrent remarquablement ouvertes et honnêtes l'une envers l'autre.

Le journal d'Emily Coleman offre un portrait des plus intimes de Peggy, bien plus révélateur qu'*Out of This Century*, où son auteur s'attache davantage à amuser, divertir et choquer qu'à sonder sa propre psyché ou à examiner ses choix existentiels. Tout au long de ses écrits personnels, Emily enregistre, plus ou moins textuellement, ses conversations avec Peggy et nous permet de mieux entendre sa voix, avec une précision plus grande (selon nous) que dans tout autre récit de sa vie, y compris son autobiographie.

Effrayée par la rupture, incapable de s'imaginer vivre seule, hésitant à divorcer d'un mari qui pourtant la bat et l'humilie, Peggy puise de la force dans sa nouvelle relation avec Emma Goldman, qui autrefois a quitté un amant simplement parce qu'il ne partageait pas avec elle l'opinion de Nietzsche quand il écrit : « Les hommes furent capables d'œuvrer sans s'appuyer sur la puissance des femmes ; pourquoi les femmes n'en feraient-elles pas autant ? Ou est-ce que la femme a besoin de plus d'amour qu'un homme ? Voilà une idée stupide et romantique, destinée à la garder toujours dépendante du mâle. Eh bien, on ne me la ferait pas ; je vivrais et travaillerais sans amour. Il n'existe aucune permanence, ni dans la nature ni dans la vie. Je dois vider le moment, puis laisser le gobelet tomber. »

En soutenant Goldman, Peggy obtient un bon retour sur investissement, comme ce fut souvent le cas avec les écrivains et les artistes qu'elle a aidés. Elle tire profit d'avoir Emma à ses côtés quand elle doit endurer les chocs et bouleversements de cette fin des années 1920 : le décès de sa sœur et ses deux jeunes neveux, et la fin de son mariage.

L'un des aspects paradoxaux de Peggy Guggenheim est la contradiction entre sa force de caractère et son désir d'abandonner cette force à un homme, de lui confier tous les pouvoirs – hormis le contrôle de son argent. Compte tenu du conflit entre sa peur de Laurence et celle de devenir indépendante, elle rompt de la seule manière possible : en tombant amoureuse d'un autre homme, qui est prêt à tout quitter pour elle et à devenir son nouveau mentor. En échange, Peggy devra gérer – et supporter – chez elle tout un aréopage de femmes intéressantes, plus ou moins obsédées par le magnétisme érotique de John Ferrar Holms.

Comme Peggy, beaucoup de ceux qui ont connu John Holms conviennent que c'était un génie, mais puisqu'il n'a jamais produit que quelques essais, une nouvelle et un poème ou deux, il se peut que son génie ait surtout consisté à faire croire aux autres qu'il en était un. Sur les photos, il a l'apparence d'un satyre tuberculeux préraphaélite. Il possède une vaste culture en poésie et connaît un certain nombre de tours étranges, capables d'amuser la galerie – comme courir à quatre pattes sans plier les genoux.

Le poète Edwin Muir, visiblement entiché, se rappelle d'Holms comme d'un homme « grand et mince, avec un beau front élisabéthain et des cheveux bouclés auburn, des yeux marron contenant une tristesse animale, une bouche large, assez sensuelle, et une petite barbe pointue qu'il tournicotait entre ses doigts lorsqu'il cherchait un mot ». Selon Djuna Barnes, Holms terminait rarement ses phrases, tandis que d'autres, dont Peggy, le considéraient comme un brillant interlocuteur.

Dans *Of Mortal Love* de Gerhardie, Holms apparaît sous les traits de « Bonzo, surnommé ainsi par ses amis pour une raison qu'ils avaient oubliée. [...] C'était un homme de lettres qui, à la vingtaine, avait composé quelques bagatelles prometteuses, mais avait trop tardé à s'y mettre sérieusement, et cultivait ainsi un air de dédain défensif à l'égard des hommes et des femmes ignorant sa valeur. [Il] n'était heureux qu'en compagnie d'artistes et d'écrivains qui le considéraient comme leur égal ou, mieux, comme supérieur à eux ». Si Gerhardie admire Holms, il précise aussi que sa conversation comporte plus d'ellipses que de phrases complètes, plus d'allusions que de substance. En jugeant les œuvres d'un ami poète, Bonzo estime : « Ils sont inégaux [...] mais ils contiennent quelque chose qu'on ne trouve que chez les poètes de valeur authentique, ce qui, à moins que ce ne soit un effet du hasard, mènera inévitablement [...] même si, bien sûr, il est stupide [...] de prétendre prédire [...] mais voilà [...] ce sont bien des poèmes. »

Emily Coleman tombe amoureuse d'Holms, mais leur brève aventure sera sans lendemain. Et elle aussi le pense doué d'une intelligence prodigieuse. « Il est la seule personne que je connaisse à vivre seulement dans la chrysalide fondamentale et non dans les enchevêtrements du cocon. Il a un cerveau d'acier et a construit sa vie à l'intérieur de ce cerveau. » Des passages du journal de Coleman reproduisent ses conversations avec John Holms, qu'au début elle surnomme Agamemnon. Ces échanges lui donnent l'impression de recueillir une sagesse transcendantale, mais le lecteur sera plus enclin à conclure qu'à la source de cette connaissance transformatrice, se trouvait plutôt un homme manipulateur et prétentieux. « Il m'a dit que je suis un génie, une enfant géniale, mais que la passion que j'ai connue est de celle que connaissent les adolescents, ce qui n'est rien du tout. » Plus loin, Coleman écrit qu'après avoir répété ces déclarations à ses amis, ils jugèrent, avec quelque raison, qu'Holms avait tout d'« un moraliste épouvantablement prétentieux et arrogant ».

Selon un auteur de la BBC nommé Lance Sieveking, écrivant dans le magazine *The Listener*, « Holms avait trouvé le moyen de passer pour quelque poète obscur du

XVᵉ siècle [...] et, en phrases inachevées, de vanter son génie en escamotant tous les autres. Sa méthode rhétorique consistait à balayer les arguments de ses interlocuteurs dans un ricanement mélancolique, comme indignes de considération sérieuse, jusqu'à ce que son point de vue obscur demeurât seul en lice – dépassant bien sûr de loin, bien loin, tous les autres par sa perception, sa pénétration, sa technique, sa profondeur et sa vérité. À certains auteurs, parmi les plus largement acceptés, il concédait de la grandeur. Il citait entre autres Donne, Blake et Shakespeare, mais même ceux-là avaient écrit beaucoup de choses indignes de leur talent, quel dommage... »

Si Holms est un peu charlatan, sa magie opère cependant sur Peggy.

Lorsque je l'ai rencontré pour la première fois, j'étais comme une enfant à la *nursery*, mais peu à peu il m'a appris tout et semé en moi les graines qui ont germé alors qu'il n'était plus là pour me guider. [...] Il me tenait dans sa main et, du jour où je lui ai appartenu jusqu'à celui de sa mort, il a dirigé tous mes gestes, toutes mes pensées. [...] Son désir essentiel était de me remodeler, et il sentait en moi les possibilités qu'il allait révéler plus tard. [...] Il percevait le sens caché en chaque chose. Il savait pourquoi chacun écrivait de cette façon, réalisait ce genre de films ou peignait ce genre de tableaux. Sa fréquentation revenait à vivre dans une sorte de cinquième dimension inédite. [...] Il fut la seule personne que j'ai rencontrée capable d'apporter une réponse satisfaisante à la moindre question. Il ne disait jamais : « Je ne sais pas. »

Peggy n'a apparemment pas retenu grand-chose des leçons apprises auprès de Goldman, car Holms – qu'Emma n'aime pas – parvient à retourner Peggy contre son amie militante. (Le fossé entre Peggy et Emma s'élargit après la publication de *Living My Life*, quand Peggy estima que son auteur ne l'avait pas assez créditée pour son soutien.) Quoi qu'il en soit, Peggy autorise volontiers Holms à jouer les Pygmalion avec sa Galatée naïve et encore immature. La passion distrait, et Peggy a bien des raisons de désirer une telle distraction.

La nuit où Holms et Peggy sont présentés par Emily Coleman correspond au premier anniversaire de la mort de Benita. Sa conviction que Laurence Vail l'a empêchée de fréquenter sa sœur ne fait qu'ajouter à la liste des griefs accumulés par Peggy à l'encontre de son mari. Et voilà que maintenant, sa sœur n'est plus. Le chagrin et la rage de Peggy se décuplent lorsque Laurence déchire des photos de Benita que Peggy avait disposées dans sa chambre.

Malgré ce triste anniversaire, Laurence (qui partage avec Peggy et beaucoup de leurs amis la terreur de l'ennui) insiste pour emmener sa femme faire la fête. Dans un bistrot de Saint-Tropez, Peggy se soûle et finit par danser sur la table.

Cela dut faire un effet sur John Holms, mais tout ce dont je me souviens aujourd'hui, c'est qu'il m'a emmenée dans une tour et m'a embrassée. Cela m'a certainement fait un effet *à moi*, et je peux attribuer tout ce qui suivit à ce simple petit baiser.

Holms et Peggy sont tous deux mariés (sur le mode de l'union libre, en ce qui concerne Holms), ce qui ajoute du piquant à leur aventure. Ils se retrouvent en secret, jusqu'à ce que Vail l'apprenne et menace de tuer Holms. Tout cela est très excitant, et finalement Peggy quitte Vail et arrache John Holms des bras de sa Dorothy, une Irlandaise triste et astrologue à ses heures, plus âgée qu'elle.

Quand Peggy tente de comprendre pourquoi John l'a préférée à Dorothy, son analyse en révèle moins sur sa rivale que sur la manière dont elle se perçoit elle-même : « Je pense qu'une des raisons pour lesquelles John fut si attiré par moi est le fait que j'étais exactement le contraire de Dorothy. Je prenais la vie moins au sérieux et ne faisais jamais d'histoires. Je plaisantais à propos de tout, car il me permettait de laisser libre cours à un esprit dont je n'étais pas consciente. [...] J'étais totalement irresponsable, mais j'avais tellement de vitalité que j'étais convaincue de représenter une expérience nouvelle pour lui. J'étais légère et Dorothy était lourde. »

Après maints disputes et atermoiements, Peggy et Laurence s'entendent sur les conditions de leur divorce. Peggy conservera la garde légale de Pegeen, et Laurence celle de Sindbad, qui rendra visite à sa mère deux mois par an. Peggy trouve difficiles les périodes de séparation avec Sindbad. Le revoir à Paris pour la première fois depuis le divorce « fut une expérience douloureuse et me permit d'évacuer toute l'angoisse que j'avais réprimée avec la peur de le perdre ». Elle mentionne tous ses allers-retours pour récupérer et redéposer les enfants, et décrit les fortes émotions ressenties à chaque retrouvaille et chaque séparation, ainsi que sa fureur à l'encontre de Kay Boyle (que Vail rencontre peu après leur séparation et épouse en 1932) qui tente de dresser les enfants contre elle.

Le divorce pèse sur Pegeen, qui s'est tellement attachée à sa nourrice (la source d'affection la plus stable et la plus fiable de sa vie) que les congés annuels de Doris sont un véritable drame pour la jeune fille. Il y a des périodes où Peggy, fascinée par Holms et en guerre contre Vail, oublie plus ou moins Pegeen, qu'elle abandonne aux bons soins de Doris. Lorsque Pegeen a l'occasion de se retrouver seule avec sa mère, elle s'accroche à elle « comme du lierre à un chêne » : « [Elle] refusait de me perdre de vue. Elle était la plus belle chose que j'aie jamais vue à cet âge. Ses cheveux étaient blond platine, et sa peau comme celle d'un fruit frais. Elle n'avait pas encore 4 ans et les conditions instables de sa situation la perturbaient beaucoup. Lorsqu'une fois, j'ai essayé de la laisser à Paris pendant quelques jours (chez des amis), elle m'a fait une crise et j'ai dû la prendre avec moi. Elle se sentait abandonnée et effrayée. »

Chapitre VII

Hayford Hall

La recherche d'une nouvelle maison compte parmi les activités préférées de Peggy, surtout en compagnie d'un homme dont elle est amoureuse. John Glassco la rencontre à l'une de ces occasions, en Provence avec Laurence Vail, et en conclut qu'ils forment un couple heureux.

En effet, l'un des grands dons de Peggy est son talent pour dénicher des habitations magnifiques et fascinantes. Très tôt, c'est dans les maisons qu'elle dépense le plus volontiers son argent, pour en retirer apparemment la plus grande des satisfactions. Plus tard, elle consacrera une partie de cette énergie dans la recherche d'œuvres d'art. Son triomphe ultime sera non seulement de réunir une magnifique collection, mais de lui trouver pour écrin durable une demeure superbe et originale, le Palazzo Venier dei Leoni – avec d'autant plus de mérite qu'elle aura trouvé cette maison toute seule, tout en sachant qu'elle ne la partagerait probablement pas avec un compagnon.

Avec John Holms, la quête du lieu idéal prend plusieurs années, parce que la question de savoir où résider fait partie de celles pour lesquelles Holms est incapable de trancher. Ils finissent cependant par s'installer à Hayford Hall, un ancien manoir anglais assez décati, mais situé dans un cadre magnifique, en plein Devon. Ils y passeront les étés 1932 et 1933. La maison est entourée de jardins, d'un court de tennis et de deux étangs à nénuphars ; au-delà des pelouses bien entretenues, commence une nature sauvage et préservée, où Peggy et ses amis observent les lapins gambader la nuit.

Comme la villa suisse que partageaient Byron et le couple des Shelley, ou la maison de Brooklyn Heights à New York où cohabitèrent William Auden, Truman Capote, Paul et Jane Bowles et Carson McCullers, ou encore les maisons de campagne des adeptes de William Morris, Hayford Hall devient le havre d'une des plus excitantes expériences de vie communautaire de l'histoire littéraire, avec pour figure centrale John Holms, un écrivain qui n'écrit pas, entouré de vestales qui écrivent.

La plus connue de ces écrivaines est Djuna Barnes. Au cours de l'été 1933, tandis que ses amis randonnent à cheval sur la lande, Barnes reste au manoir et compose une grande partie de son roman d'avant-garde *Nightwood*, dans la chambre rococo que Peggy lui a attribuée. L'auteur dédiera son roman à Peggy et John Holms. Une autre romancière britannique leur rend souvent visite :

De gauche à droite, John Holms, Djuna Barnes, Antonia White et Peggy Guggenheim à Hayford Hall (vers 1932-1933).

Antonia White, dont le premier ouvrage, *Frost in May*, est publié en 1933. Le rôle de chroniqueuse du groupe est tenu par Emily Coleman, qui (hormis Peggy) est la plus proche de John Holms et par conséquent un objet de jalousie et de ressentiment de la part des autres. Dans son journal, Emily consigne les conversations et les conflits qui naissent des réunions du groupe dans le grand salon, lors de réjouissances d'après-dîner où se succèdent de grandes tensions et rivalités sexuelles, des embrassades, des insultes, des discussions littéraires, des disputes et (le plus souvent) de longs monologues avinés délivrés par Holms.

Peggy assure le bon fonctionnement du foyer et gère la domesticité, dont un cuisinier français et la fidèle Doris, qui règne sur l'aile du manoir réservée aux enfants, où Pegeen et Sindbad s'ébattent en compagnie de Johnny, le fils d'Emily Coleman, lorsqu'ils sont de visite. Peggy prétend aimer passer du temps avec eux, mais, en réalité, les enfants sont rarement autorisés dans le salon principal, et les autres adultes ne s'intéressent qu'à eux-mêmes.

John Holms se montre gentil avec Pegeen, mais les femmes sont moins amicales envers Sindbad, qui selon Emily se montre « trop ordinaire, comme un petit garçon de bandes dessinées ». Coleman trouve Pegeen « plus inté-ressante. [...] C'est un petit démon, difficile, mais avec tellement de cran ». Plus tard, le caractère « ordinaire » de Sindbad – il préfère de loin le sport à l'art – engendrera des tensions entre Peggy et lui, tandis que le tempérament « artistique » de Pegeen deviendra pour sa mère une source de fierté, de préoccupation et, finalement, de chagrin.

Sans doute est-il préférable de garder les enfants à l'abri des adultes, puisque les franches discussions de ces derniers tournent largement autour de la sexualité et que leurs distractions d'après-dîner, basées sur un jeu de la Vérité populaire parmi les surréalistes parisiens, se résument essentiellement à explorer en groupe les fantasmes et expériences érotiques des autres joueurs.

Toutes les femmes d'Hayford Hall semblent avoir été amoureuses d'Holms. Le choix de Peggy d'inviter un groupe de rivales à vivre sous le même toit qu'elle et son amant suggère qu'elle préfère peut-être les drames amoureux aux satisfactions plus placides et potentiellement mornes de la vie domestique. Ou peut-être redoute-t-elle que John Holms ne finisse par s'ennuyer, puisqu'elle se considère intellectuellement comme son inférieure.

Emily Coleman reproduit des conversations où Peggy prétend ne pas se sentir à la hauteur de ses amies, « parce que, contrairement à elle, ce sont des artistes et des intellectuelles, et par conséquent ne peuvent que la juger avec condescendance ». Peggy « disait qu'elle ne pouvait pas aborder les idées abstraites, qu'elle était un peu jalouse de nos échanges intellectuels ». Elle se console par une relation sexuellement torride avec Holms, d'autant que, du moins selon l'intéressé, « un homme de talent ne veut pas d'une femme intellectuelle, il veut pouvoir laisser libre cours à son instinct ».

Sans surprise, cet arrangement – en vertu duquel une femme sexuellement séduisante n'aurait pas besoin de cerveau – tournera à l'aigre. Peggy prévient Holms : « J'admire ton complexe de supériorité, mais tu vas trop loin. » Coleman observe qu'Holms dit à Peggy « des choses qui heurtent sa fierté – il lui a dit qu'elle ne savait rien quand elle l'a rencontré et qu'il essayait de lui enseigner quelque chose à propos de la vie. Il a dit qu'elle vivait en fonction de l'opinion des autres et n'avait aucune idée personnelle, qu'elle vivait en réaction, comme tous les Américains ». Plus tard, Emily entendra Holms traiter Peggy d'imbécile pour avoir énoncé « quelque chose de stupide ».

La perspicacité que Peggy déploie à trouver les bons conseillers artistiques, à acquérir et à protéger sa collection, tout en s'entourant de personnes enrichissantes, est la preuve d'une intelligence aiguë. Cependant, elle cultive un côté loufoque et distrait – en partie naturel et en partie affecté – à ne pas comprendre ce qu'on lui dit, ou bien de travers, une naïveté enfantine qui lui permet de proférer des répliques amusantes (et souvent assez méchantes et blessantes) avec l'insouciance d'une fillette. Selon John Richardson, « elle agissait comme votre petite sœur écervelée, ce qui vous incitait à devenir très protecteur. Elle n'a jamais grandi. Elle semblait souvent complètement perdue, comme le serait une adolescente de 16 ou 17 ans ».

À Hayford Hall, bien des soirées se terminent par une dispute féroce, parce que Peggy veut que John vienne se coucher alors qu'il préfère continuer à boire et à parler aux autres femmes. Face à ses reproches, John lui assène un jour qu'elle a le « cerveau de la taille d'un petit pois » et que ses amis se demandent bien pourquoi il vit avec elle. Coleman raconte une vive altercation qui commence lorsqu'elle reproche à Peggy d'avoir interrompu John et qui s'achève avec Peggy sommant Emily de quitter Hayford Hall – un ordre qu'elle annulera aussitôt après.

Dans le roman de Gerhardie, Molly, l'alter ego de Peggy, est décrite comme « d'une ironie sinistre », attendant patiemment de se coucher tandis que Bonzo « n'en finit plus de parler ». Ne voulant pas alimenter cette logorrhée verbale, « Molly, comme toujours, parlait à peine. Son regard était perdu dans le vague. Si elle ouvrait la bouche, c'était pour lâcher un sarcasme général et sans cible précise ».

Si Djuna Barnes est essentiellement lesbienne, elle connaît aussi des aventures masculines, et un passage du journal de Coleman décrit un moment de flirt entre elle et Holms au cours d'une soirée, ce qui démontre aussi à quel point les notions de fidélité et de territoires réservés pouvaient être troubles et mouvantes au sein du groupe. Djuna, qui venait de laver son épaisse chevelure rousse, « devint très affectueuse avec John ». Se réveillant d'une sieste sur le canapé, Peggy commente : « On dirait un viol. » Comme Barnes continue à étreindre Holms, Peggy prédit, « Il va sortir l'artillerie », et poursuit par une remarque qui met en lien l'érection d'Holms avec le maintien de son soutien financier. « Si tu lèves les couleurs, c'est la banque qui tombera. » Lorsque John dit à Barnes que ses écrits sont les meilleurs qu'une femme ait produits depuis cinquante ans, Djuna l'embrasse dans le cou.

Ensuite, elle se mit à frapper le derrière de Peggy, et Peggy cria : « Mon Dieu, comme cette femme me hait ! », mais Djuna continua à la frapper et commença à me frapper à mon tour. J'atteins l'orgasme avant son quatrième coup.

Coleman consigne également une série de remarques spirituelles de la part de Peggy, dont plusieurs apparaissent également dans *Out of This Century* et qui donnent au lecteur une impression marquante, à défaut d'être attrayante, de son sens de l'humour : « Peggy est spirituelle parce qu'elle n'essaie pas de l'être, c'est un don chez elle, elle n'essaie pas de gagner un auditoire. » Lors d'une discussion sur la question de savoir si les femmes devraient porter du maquillage à la campagne, Peggy dit à Emily qu'elle ressemble au vieux Marin[1], « battue par les vents ». Et elle dit à Djuna Barnes que lorsque celle-ci lit ce qu'elle vient d'écrire à haute voix, son visage est comme celui d'un poupon qui réclame son biberon.

Les remarques acerbes de Peggy visent John Holms de plus en plus directement. Quand elle tente d'empêcher Sindbad de tenir une paire de ciseaux et que John lui objecte que l'enfant est assez grand à 10 ans, Peggy lui répond : « Tu en as 35 et tu es incapable de tenir quoi que ce soit. » Une nuit, elle traite John de « tocard ».

À la fin de l'été 1932, Peggy se plaint de John : « Qu'ai-je à faire de son génie ? Il ne me sert à rien. Il ne l'utilise pas. » Quand Emily lui explique que John lui donne l'impression d'être vivante, Peggy lui rétorque :

---

1. De *La Complainte du vieux marin* (1798), le célèbre poème de l'auteur britannique Samuel Taylor Coleridge.

« Et à moi l'impression d'être morte. » « Il m'a dit beaucoup de choses que j'avais envie de savoir, mais bon sang, il noie tout ça sous un tas de choses dont je n'ai absolument rien à faire. » John est intelligent, admet Peggy, mais il n'a aucun talent.

Les insultes de Peggy finissent par vexer John et le mettre en furie. Emily rapporte une scène qui ne rappelle que trop le mariage de Peggy et Laurence Vail.

> J'ai fermé ma porte, puis j'ai entendu des cris venant de la chambre de Peggy. J'ai entendu : « Espèce de petite salope, tu fausses tout. Tu mens encore et toujours, comme un serpent. » Il a continué, sans aucune réponse de sa part, puis les cris ont cessé. Il a dit qu'il ne supportait pas sa méchanceté et son venin.
>
> Je savais qu'elle l'avait probablement accusé quand il était monté, probablement en lui reprochant une heure plus tardive qu'en vérité, et qu'il l'avait frappée.

Évidemment, on ne saurait blâmer les victimes de violence domestique. Mais étant donné que presque toutes les relations amoureuses importantes de Peggy incluent un élément de violence physique, on ne peut que supposer soit une malchance spectaculaire dans son choix de partenaires, soit que pour elle, l'amour impliquerait la compulsion de pousser ses amants à bout. Emily Coleman décrit ainsi une soirée, dans une brasserie parisienne, au début de la relation entre Peggy et John Holms. Sous le regard d'Holms, Peggy est allée s'asseoir à côté de Laurence Vail. Parce qu'elle s'était querellée avec John : « Elle a fait ça pour le faire enrager. Elle est comme une enfant jouant avec de la dynamite. »

Au début de l'hiver 1933, Peggy « s'est soûlée un soir et se comportant comme une vraie garce, elle s'est mise à narguer John au sujet de Garman ». Douglas Garman, un bel homme, est l'éditeur d'avant-garde que John a tenté de convaincre de publier le roman de Djuna Barnes, *Ryder*. Quand Peggy et Garman se sont rencontrés au pub Chandos de Londres, ils ont aussitôt ressenti une attraction commune. Garman a souhaité venir séjourner chez Peggy et John, qui vivent alors à Paris.

> Quand il est venu, je suis tombée amoureuse de lui. […] J'imagine que je ressentais que Garman était un homme, un vrai, alors que John était plus une sorte de Christ ou de fantôme. J'avais besoin de quelqu'un de réel pour me sentir femme à nouveau. John était indifférent aux aspects matériels de la vie et ne se souciait aucunement de mon apparence ou de ma tenue. Garman, au contraire, remarquait tout et me faisait des compliments sur mes vêtements, ce que je trouvais très agréable.

Peggy révèle alors à Holms son attrait pour Garman : « John a failli me tuer. Il m'a obligée à rester nue devant la fenêtre ouverte [en décembre] pendant une éternité et m'a jeté du whisky dans les yeux. Il m'a dit : "Je voudrais te frapper le visage pour que personne ne te regarde jamais plus." J'ai eu tellement peur que j'ai demandé à Emily de rester toute la nuit avec moi pour me protéger. »

Une bonne part des mésaventures que connaît Peggy durant sa vie commune avec John Holms, comme du temps de Laurence Vail, doit sans doute beaucoup aux quantités massives d'alcool consommées. Hayford Hall est rebaptisé par les amis de Peggy : *Hangover*[1] Hall.

Peggy reproche à Holms son incapacité à agir, à faire ou à décider quoi que ce soit, mais personne ne semble avoir jamais mis cette passivité en rapport avec l'alcoolisme dont il souffre depuis son plus jeune âge et qui s'est aggravé au cours de son emprisonnement pendant la Première Guerre mondiale, dans un camp où lui et ses collègues détenus (dont Alec Waugh) étaient condamnés à l'oisiveté, avec un accès illimité à du vin blanc bon marché. Lorsque Peggy fait référence à la consommation de John, c'est presque toujours indirectement ou avec légèreté, comme une plaisanterie : par exemple, elle consigne le fait que certains invités ont bu autant que John et sont malades pendant des jours. Ou bien ses allusions sont teintées de froideur et d'ironie : « Quand il avait beaucoup bu, il se plaignait toujours en disant : "Je m'ennuie, je m'ennuie tellement", comme si ce cri lui montait des profondeurs et lui causait une grande douleur. » Ce n'est que plus tard, lors d'une conversation avec Emily Coleman, que Peggy concédera que, même si John devait revenir d'entre les morts, elle ne serait plus capable de supporter son alcoolisme.

Analysant les malheurs de son ami, Edwin Muir omet également d'évoquer l'alcool : « En soi, l'acte d'écriture

---

1. Gueule de bois.

représentait pour lui un énorme obstacle, alors même que sa seule ambition était d'être écrivain. La conscience qu'il avait de sa faiblesse, et sa crainte de ne jamais parvenir à rien produire en dépit de ses dons, dont il ne doutait jamais, intensifiait ce combat immobile et le réduisait à une impuissance fébrile. Il était hanté par des rêves et des cauchemars terribles. »

Si l'alcool favorise et stimule la désinhibition des résidents d'Hayford Hall, la tragédie qui met fin à ces romances estivales permet de comprendre à quel point John Holms était devenu dangereusement incapable de sobriété, ne fût-ce que pour un soir.

En août 1933, à la fin du second et dernier été que Peggy et John passeront dans le Devon, John se casse le poignet dans un accident de la route. La fracture est mal réduite par un médecin local et John continue à souffrir, alors même que le couple est rentré à Londres pour l'automne. Un docteur d'Harley Street suggère une opération simple, nécessitant une anesthésie générale, mais possible à domicile.

L'opération est prévue pour le 18 janvier. La veille, John reste debout jusque tard dans la soirée, à boire avec des amis. Le lendemain matin, sa gueule de bois est si sévère que Peggy envisage d'annuler l'intervention, mais comme ils l'ont déjà reportée une première fois lorsque John avait la grippe, elle n'ose pas.

L'opération débute et, le temps passant, Peggy commence à s'inquiéter. Peu après, les médecins l'informent que John est décédé. Son cœur n'a pas supporté l'anesthésie.

Plus tard, un rapport d'autopsie révélera que « tous les organes de John étaient sévèrement endommagés par l'alcool et son corps dans un assez mauvais état général. Les médecins n'ont pas été incriminés ».

Peggy raconte sa réaction ambiguë – et révélatrice – à la mort de John. Au début, elle est persuadée qu'elle ne pourra plus jamais être heureuse – un désespoir qui alterne avec un certain soulagement : « C'était comme si on m'avait tout à coup libérée d'une prison. J'avais été l'esclave de John pendant des années et j'imaginais un moment vouloir être libre, mais pas du tout. Je n'avais pas la moindre idée de comment j'allais vivre ou de ce que j'allais faire. […] Après la mort de John, j'ai vécu dans la terreur perpétuelle de perdre mon âme. […] Je crois que dans une prochaine vie, un jour, je retrouverai John et mon âme sera sauvée. »

Mais Peggy ne restera pas seule très longtemps – elle en serait incapable. Une échappatoire se présente à elle lorsqu'elle reçoit une lettre de condoléances de Douglas Garman : « J'ai recommencé à penser à lui, et peu à peu, je me suis rendu compte qu'il allait servir à me sauver du désarroi. »

Séparé de sa femme et père d'une fille nommée Debbie, de l'âge de Pegeen, Douglas Garman semble bien d'abord être le sauveur dont Peggy a besoin. Leur relation, initiée huit semaines avant le décès de John Holms, a débuté de manière très romantique. Garman écrit un poème sur leur amour, qui contient ce vers maladroit : « le cadeau entre tes cuisses ». Mais Peggy se sent coupable de s'être remise en couple aussi rapidement et d'avoir souhaité pendant un temps la mort de John Holms.

Cette culpabilité prolonge la douleur du deuil et continue de gâcher les quelques moments de joie que Peggy et Garman pourraient partager. Elle ne peut s'empêcher de comparer Garman à John, ou de raconter à celui qui est vivant à quel point celui qui est mort lui manque. Mais Garman continue d'espérer qu'elle reprendra le dessus et qu'ils pourront enfin profiter d'une vie paisible.

En réalité, leurs chances de mener une telle existence sont on ne peut plus minces. Aussitôt que leur passion se refroidit, Peggy commence à se lasser de la vie monotone et solitaire qu'elle mène à la campagne avec Garman, Pegeen et Debbie, sans parler de la mère de Garman qui vit à proximité. Holms lui manque et, avec lui, les folles soirées d'Hayford Hall. Elle voudrait retrouver leurs insolentes parties de jeu de la Vérité, leurs crises de soûlographie hystérique. Holms était un génie, un grand artiste, tandis que Garman est un communiste ennuyeux, s'entourant de fonctionnaires du parti et d'étrangers, qu'il admire uniquement parce qu'ils sont issus de la classe ouvrière.

Quand Peggy et lui se sont rencontrés, Garman, fils d'un médecin fortuné, travaillait pour son beau-frère, un éditeur du nom d'Ernest Wishart. Comme Holms, Garman voulait être écrivain, mais comme lui, il s'est révélé quasiment incapable d'écrire. Il a voyagé en Russie et se dit révolutionnaire, mais Peggy ne tarde pas à remarquer qu'il reste un produit de sa classe sociale, quelqu'un qui prend son Hispano-Suiza pour aller donner des conférences sur l'inéluctabilité d'une révolution ouvrière. Le neveu de Garman, Michael Wishart, raconte la difficulté qu'il éprouvait, enfant, à concilier les œuvres d'art (« un hareng crucifié ») exposées dans la chambre à coucher de Peggy et Garman avec l'engagement politique de son oncle, « mais, bien sûr, j'appréciais leur piscine marxiste et chauffée ».

Sous l'influence de Lucille Kohn et d'Emma Goldman, Peggy a depuis longtemps sympathisé avec les causes gauchistes. Laurence Vail s'est même moqué de sa volonté de soutenir les syndicats et les travailleurs en grève. Mais Peggy est agacée par ce qu'elle considère comme l'hypocrisie de Garman, son respect inébranlable pour Staline et sa désapprobation de plus en plus puritaine de l'art, de la littérature et de tout ce qui, elle, l'intéresse. Peggy finit par entrer au Parti communiste, mais dans ses mémoires, elle explique cette démarche comme une sorte d'expérience qu'elle mena pour prouver à Garman qu'il avait tort en pensant qu'elle serait obligée d'accepter de travailler pour le parti pour pouvoir être affiliée.

Au début, ils cachent leur relation, établie si vite après la mort d'Holms, parce que Peggy n'ose pas révéler à ses enfants qu'Holms – à qui Pegeen s'était profondément attachée – est déjà remplacé par un nouvel amant. Elle n'est pas franchement douée pour le tact et la délicatesse, incapable le plus souvent de distinguer ses propres besoins, émotions et désirs de ceux de son fils et de sa fille. Non seulement Pegeen pleure la disparition d'Holms, mais elle est en outre affligée par la perte de Doris. Sa nourrice avait brièvement quitté son poste pour se marier, mais lorsqu'elle voulut revenir, Peggy fut si jalouse de constater l'attachement de sa fille pour leur employée qu'elle refusa de lui redonner sa place...

À Pâques, Peggy se rend en Autriche pour passer les vacances avec ses deux enfants et Laurence Vail, qui, contrairement à Garman, est toujours prêt à consoler Peggy et à l'écouter raconter combien John Holms lui manque. À son retour en Angleterre, Garman la conduit dans le Sussex, où il a acheté une maison pour sa mère, près du village pittoresque mais « absolument mort » de South Harting. Cet été-là, Peggy loue le château de Warblington, situé à proximité, et invite Debbie Garman à les rejoindre, Pegeen et elle.

Les amis de Peggy, dont Emily Coleman et Antonia White, y passent de longs séjours, mais ces femmes déplorent la perte de John Holms et répugnent à accepter Garman comme son remplaçant. Emily le considère comme un imbécile et a commencé à le surnommer *Garbage*[1], dans son journal. Djuna Barnes déclare que Garman n'est « pas humain, c'est une poupée qui dit "communisme" quand on lui appuie sur l'estomac ».

Après un voyage au pays de Galles, Peggy décide de louer une maison tout près de Mme Garman afin que Pegeen puisse aller à l'école à la campagne, avec

---

1. Poubelle, détritus.

Debbie. Comme elle ne trouve aucune location à son goût, Garman la convainc d'acheter Yew Tree Cottage, dans la ville de Petersfield. Datant de la période élisabéthaine, la maison est charmante, le cadre splendide – mais Peggy est malheureuse.

> Peu de temps après cette décision, j'ai résolu de me suicider. Je souffrais encore tellement de la perte de John. J'ai donc mis la maison au nom de Garman, puisque j'avais l'intention de mettre fin à mes jours. Bien sûr, je ne l'ai pas fait, et je suis allée vivre dans cette maison.

Peggy se jette à cœur perdu dans sa nouvelle vie rurale, engageant un jardinier et une « adorable petite servante italienne », et se consacrant à Pegeen – dans la mesure de ses capacités. Garman et Debbie viennent les rejoindre juste après Noël. Peggy note avec satisfaction que les deux jeunes filles sont devenues très proches et que la maturité, l'intelligence et la bonne éducation de Debbie exercent une influence positive sur Pegeen.

Peggy écrit à Emily Coleman qu'elle apprécie la solitude lorsque Garman se trouve à Londres et que, pour peu qu'on lui accorde suffisamment de paix et de tranquillité, elle pense pouvoir écrire quelque chose. Elle lit beaucoup, d'Henry Miller à Tolstoï, de William Blake à Céline. Elle rédige également une critique du roman d'Emily, *Tygon*, et tient son journal, consacré surtout à John. Mais, à l'automne 1935, quelque chose l'incite à brûler ce journal – peut-être la culpabilité d'écrire sur un homme tandis qu'elle vit avec un autre.

À cette époque, elle commence à se lasser des langueurs de la vie bucolique et à perdre patience avec Garman – qu'elle a convaincu d'abandonner son travail d'éditeur pour essayer d'écrire dans l'atelier qu'il a construit au bout du jardin. La description du caractère de Garman, tel qu'il apparaît dans *Out of This Century*, augure des problèmes qui vont suivre. Le paragraphe commence par des compliments : « Garman était une personne sincère et honnête, douée d'un merveilleux sens de l'humour et d'un beau talent d'imitateur », et se termine dans les reproches : « Il était cinq ans plus jeune que moi, ce qui me mettait mal à l'aise. Il me trouvait très insouciante et aurait voulu que je m'habille beaucoup mieux. Il n'aimait pas que j'aie des cheveux gris. »

Le temps passant, Peggy se sent de plus en plus isolée. Elle a l'impression d'être toujours en train de jouer les nourrices pour Pegeen et Debbie, qui enchaînent rhumes sur grippes, à cause des courants d'air et de l'humidité qui sévissent dans la maison. Elle se décrit elle-même, couchée dans son lit à grelotter, obligée de porter des gants de fourrure pour pouvoir lire. À mesure que la tension monte dans le couple, le penchant puritain de Garman se révèle. Il désapprouve que Peggy lise son Proust bien-aimé et insiste pour qu'elle le remplace par Karl Marx.

Selon Emily Coleman, Peggy et Garman ne sont pas du tout compatibles : ils n'ont aucun sujet d'intérêt en commun, n'aiment ni les mêmes personnes ni les mêmes choses. Leur relation devient de moins en moins supportable. Garman reproche à Peggy de boire. « Pour quelque raison perverse, j'en ressens maintenant le besoin », écrit-elle, tout en affirmant, d'une manière peu convaincante, qu'elle s'y est « très rarement adonnée » pendant qu'elle vivait avec Vail et Holms. Peggy continue de comparer défavorablement Garman à Holms ; pire, elle lui raconte qu'Holms le trouvait lui-même ennuyeux et qu'il lui avait rendu visite à Londres uniquement parce qu'il espérait que Garman accepterait de publier le roman de Djuna.

Au bout d'un an et demi de vie commune, Peggy a déjà pris la décision de quitter Garman. Ce qu'elle fait, mais par intermittence. Pendant ce temps, c'est le même scénario d'une histoire d'amour qui tourne à la violence : « Il m'aimait encore beaucoup, mais je faisais tout pour détruire notre relation. […] Une fois, je me suis montrée tellement horrible avec lui qu'il m'a giflée violemment. Ensuite, il a eu tellement honte de lui-même qu'il a éclaté en sanglots. »

Peggy trouve du réconfort dans ses lectures et de longues promenades. Garman adhère officiellement au Parti communiste et soutient la cause avec l'argent de Peggy. Lorsqu'il se met à donner des conférences suggérant que tous les grands écrivains sont des révolutionnaires, Peggy vient y assister et lui pose « des questions pour l'embarrasser et le perturber. Après l'esprit brillant et le détachement de John, tout cela était trop stupide pour que je puisse le supporter ». Exaspérée par la piété de Garman et son ascétisme de pacotille, elle devient « comme un taureau qui a vu rouge. Sauf que dans mon cas, je voyais rouge à chaque fois que j'entendais parler de communisme ».

À l'été 1936, Peggy se rend à Venise, où elle apprécie la solitude, la liberté d'aller où bon lui semble, de manger quand elle veut et d'étudier au musée les tableaux de Carpaccio. Mais, dès son retour, les disputes à la maison reprennent de plus belle. Une nuit d'été, Garman frappe Peggy à plusieurs reprises. Elle confie à Emily qu'elle en a ressenti un grand soulagement : la violence les a sortis de l'état de torpeur dans lequel ils vivaient.

Peggy fait un pari avec Garman : si Édouard VIII abandonne le trône pour épouser Wallis Simpson, Garman devra l'épouser. Mais après l'abdication du duc de Windsor, Garman refuse d'honorer son engagement. Au contraire, insiste-t-il, leur amour est mort : Peggy a tué l'affection qu'il avait pour elle. Le couple décide de se séparer et Garman déménage à Londres, même s'ils continuent de passer leurs congés ensemble. Lorsque Garman est de visite le week-end, il insiste pour dormir avec Peggy.

Mais, durant l'un de ces week-ends, « Garman et moi nous sommes disputés au sujet du communisme. Et j'ai été tellement odieuse qu'il m'a frappée. J'ai glissé et je suis tombée. Il y avait du sang partout ». Bien qu'ils passent l'essentiel de leur temps séparés, leur relation traîne pendant encore quelques mois malheureux.

À l'été 1937, la mère de Peggy, gravement atteinte par un cancer du poumon, part en voyage pour l'Europe. À Paris, elle prend une suite à l'hôtel Crillon, où Peggy et les enfants la rejoignent. Peggy et Florette visitent ensemble l'Exposition internationale de Paris. Alors que sa mère agonise, Peggy confie à Emily Coleman qu'elle pense être arrivée au bout de sa propre existence. Ce à quoi son amie répond, sans grande compassion : « Si tu le ressens ainsi, c'est peut-être vrai. »

CHAPITRE VIII

Guggenheim Jeune

1937 est une année de larmes pour Peggy. Elle va avoir 40 ans. Séparée de Garman, c'est la première fois qu'elle quitte un homme sans qu'un autre attende son tour dans la coulisse. Cette indépendance soudaine et presque effrayante lui fait prendre conscience que, depuis quinze ans, elle n'a jamais été « autre chose qu'une épouse ». En vérité, elle n'a jamais été qu'une épouse, une fille, une amie, une mère et une femme riche, juste capable de s'entourer d'amis divertissants. Maintenant que son histoire avec Garman est terminée, Peggy commence seulement à apprécier les avantages et les plaisirs de l'autonomie, du travail sérieux, et se met enfin à admettre la possibilité qu'elle possède un « moi intérieur », avec son intégrité, ses exigences et ses satisfactions propres.

Si ses lettres et ses mémoires prouvent qu'elle avait plus de talent littéraire que Laurence Vail, John Holms ou Douglas Garman, Peggy suppose, comme on l'y a encouragée, qu'elle n'a aucun don pour la création artistique, la peinture ou l'écriture. Mais, durant le lent et pénible délitement de son couple avec Garman, elle commence à se demander s'il existe un métier qu'elle pourrait exercer, qui lui permettrait de faire bon usage de ses talents naturels, de son argent et de ses relations.

Peggy remerciera sa proche amie Peggy Waldman d'avoir été la première à lui proposer de soit créer une maison d'édition, soit ouvrir une galerie d'art à Londres. Mais le courrier que lui adresse Waldman en mai 1937 – « J'aimerais que vous fassiez un travail sérieux, la galerie d'art ou une agence littéraire, n'importe quoi d'absorbant mais d'impersonnel » – implique que l'idée n'est pas neuve : « *la* galerie d'art » suggère que les deux femmes ont déjà envisagé cette possibilité. Et dans une lettre à Emily Coleman, écrite plus tard ce printemps, Peggy signale que Garman a tenté de la dissuader de se lancer dans cette nouvelle aventure. Elle affirme qu'elle a rejeté l'idée d'une maison d'édition parce que cela risquait de coûter trop cher. *A priori*, la galerie semble moins onéreuse et plus amusante : « Je n'avais alors aucune idée des milliers de dollars que je m'apprêtais à engloutir dans le commerce des arts. »

Peggy ne tarde pas à considérer sérieusement cette idée. L'ouverture d'une galerie lui permettrait de passer du temps avec les artistes, de renouer avec un mode de vie qu'elle s'est remise à apprécier plus que jamais, après ces mois de solitude à la campagne avec Garman et les enfants. Cela lui permettrait d'accomplir quelque chose d'utile et de productif avec son argent, tout en continuant à soutenir les talents auxquels elle croit – ce qu'elle fait déjà depuis des années, en dilettante.

Aidée par sa maîtresse, la baronne Hilla Rebay, l'oncle Solomon a commencé à réunir une grande collection d'art moderne – et la perspective de rivaliser avec la baronne, voire de la surpasser, plaît à Peggy. Mieux encore, cette nouvelle vocation de Peggy en remontrerait à sa famille et à leurs amis imbuvables. Une fille Guggenheim qui dirigerait sa propre entreprise, vivrait en toute indépendance, en achetant et vendant de l'art ! Elle révélerait au monde le travail des surréalistes qui – privilégiant l'irrationnel, l'inconscient et la sexualité – était déjà bien choquant. Ce n'est certes pas un hasard si la première exposition de Peggy dans sa galerie londonienne présentera des dessins de Jean Cocteau réalisés sur des draps, avec des feuilles d'arbres recouvrant le pubis de son amant.

Alors que Peggy cherche un conseiller qui pourrait la présenter aux bons interlocuteurs, elle se lance dans une nouvelle relation amoureuse avec un jeune peintre du nom d'Humphrey Jennings. Talentueux et bien introduit, Jennings est, avec Herbert Read, André Breton et le peintre britannique Roland Penrose, l'un des organisateurs d'une importante exposition d'art surréaliste en 1936 à Londres. Douglas Garman a suggéré à Peggy, ce qui ne lui ressemble guère, d'assister à cette « Première Exposition surréaliste ». Mais, convaincue que le surréalisme ne présente plus le moindre intérêt, elle choisit d'ignorer l'événement.

Dans *Out of This Century*, Peggy explique qu'Emily Coleman avait eu une liaison avec Jennings, mais qu'elle s'était lassée de lui – et l'avait passé entre les mains de Peggy. La version d'Emily est bien différente. Amoureuse de Jennings, celle-ci supplie Peggy (qui lui a avoué son attirance sexuelle pour le jeune homme) de le laisser tranquille. Mais Emily sait qu'elle n'est pas de taille contre Peggy – et au regard de ce que celle-ci peut offrir : « Ce que je représente pour lui en tant que personne est insignifiant. Il veut une Américaine qui lui vouera un culte passionné, qui le comprendra, qui le contentera sexuellement et violemment – quelqu'un de docile. Peggy ! Aussi l'argent. Que représente l'argent pour lui ? Beaucoup. » C'est peut-être la seule fois dans la vie de Peggy Guggenheim (et certainement dans le journal de Coleman) que l'intéressée est qualifiée de docile. Mais Emily a raison au sujet des atouts de Peggy : Coleman ne peut pas rivaliser sexuellement avec son amie – ni financièrement. Peggy sort alors avec Jennings, laissant Emily dans ce qu'elle décrira comme un état suicidaire.

Quand Peggy se rend aux côtés de sa mère à Paris à l'été 1937, Jennings quitte l'Angleterre pour la retrouver. Il lui fait rencontrer André Breton, et en retour elle le présente à Marcel Duchamp. Ensemble, Peggy et Humphrey rendent visite à Yves Tanguy, et Jennings présente certaines propositions folles et incompréhensibles (selon Peggy) sur la façon dont ils pourraient exposer les œuvres de Tanguy – des idées d'aménagement qui influenceront peut-être les plans de la galerie Art of This Century.

Le rêve de diriger ensemble une galerie paraît *a priori* enthousiasmant, mais Peggy n'est pas physiquement attirée par Jennings, par son « corps affreusement efflanqué » et son visage à la « Donald Duck ». Et cette impossibilité de tomber amoureuse semble empoisonner leur partenariat professionnel, Peggy déclarant se sentir heureuse une fois qu'elle s'est débarrassée de Jennings. L'organisation et la gestion de la galerie seront plus amusantes sans lui.

Jennings pleure quand il se rend compte qu'il doit renoncer à son fantasme (selon Peggy) de « vie merveilleuse avec [elle], entourée de luxe, de gaieté et de surréalisme ». Cependant, une fois ce malaise dissipé, Peggy et Humphrey deviennent bons amis et se rendent ensemble à l'Exposition de Paris de 1937, que Peggy a déjà visitée avec Florette. « Pour la première fois, j'ai pu étudier l'art moderne. »

Peggy omet de décrire ce qu'elle y découvre, trop excitée de raconter que Douglas Garman est à Paris et qu'elle l'a surpris en louant une chambre d'hôtel pour eux deux. Tout au long de cette période, elle hésite constamment entre rester ou non avec Garman, en dépit du fait qu'ils se sont rendus si malheureux l'un l'autre. Garman apprécie Paris, où il est ravi de voir le Front populaire de gauche au pouvoir. Mais il décline avec sagesse lorsque Peggy lui suggère de se remettre ensemble.

Garman passe du temps avec Peggy à l'Exposition, où s'élève le massif Palais des Soviets, surmonté de la statue de deux travailleurs russes brandissant marteau et faucille. Le pavillon soviétique fait directement face à l'allemand, tout aussi agressif, flanquant ensemble la tour Eiffel. Conçu par Albert Speer, le pavillon germanique exhibe à son sommet un crocodile, une croix gammée et l'aigle national-socialiste.

À l'Exposition internationale des arts et techniques dans la vie moderne, Peggy peut étudier de nombreuses œuvres d'avant-garde. Focalisée sur la galerie qu'elle prévoit d'ouvrir, elle porte sur l'art un regard plus sérieux, différent d'autrefois. La pièce maîtresse de l'exposition est le *Guernica* de Picasso, que l'artiste a peint en plusieurs mois après avoir été invité par le gouvernement espagnol à réaliser un tableau d'envergure pour le pavillon national, quelques jours seulement après l'annonce des bombardements allemands sur la ville basque. Dans le même pavillon se trouvent une fresque de Joan Miró et une fontaine sculptée par Alexander Calder. Exposés dans les autres bâtiments s'ajoutent des œuvres de Léger et Delaunay, et, dans le Pavillon de l'électricité et de la lumière, un immense panneau peint par Dufy, *La Fée Électricité*. Au Petit Palais, les conservateurs du musée d'Art moderne de Paris exposent des œuvres de Braque, Picasso, Matisse et Maillol.

Peggy, qui vient de recevoir 450 000 dollars à la suite du décès de sa mère en novembre 1937, loue les services d'une femme compétente et énergique, Wyn Henderson (qui a connu John Holms), afin de gérer sa galerie. C'est Henderson qui propose de l'appeler « Guggenheim

Jeune », pour capitaliser sur le nom de famille de Peggy (et celui de l'oncle Solomon) tout en suggérant que cette aventure sera plus neuve, plus rafraîchissante et plus aventureuse que la collection de son oncle. À Londres, Wyn découvre un espace à louer au 30, Cork Street, et l'on décide d'ouvrir la galerie dès que possible, après la signature du bail en janvier 1938.

Typographe de profession, Henderson crée le papier à en-tête de Guggenheim Jeune, ainsi que les catalogues et les invitations. Peggy la remerciera d'avoir fait « tout tourner comme une horloge ». Douée d'un tact et d'une convivialité remarquables, Wyn reconnaît les clients dont souvent Peggy ne se rappelle plus. Elle est aussi une âme sœur pour sa patronne. Lorsque Peggy lui demande de calculer le nombre de ses amants, Wyn se plonge dans le décompte, et puis s'y perd. « Elle m'a toujours encouragée à m'amuser », écrit Peggy.

Pendant que Wyn organise la galerie, Peggy commence à chercher des artistes à exposer. Par Mary Reynolds, elle rencontre Marcel Duchamp, qui deviendra le premier et sans doute le plus influent de ses conseillers. La reconnaissance de sa dette envers Duchamp exprime non seulement la gratitude de Peggy, mais aussi ce persistant « complexe d'infériorité », renforcé par la condescendance de tant de personnes qui gravitent autour d'elle.

À cette époque, j'étais incapable de distinguer une chose d'une autre dans le domaine de l'art. Marcel a essayé de m'éduquer. Pour commencer, il m'a appris la différence entre l'art abstrait et le surréalisme. Ensuite, il m'a présentée à tous les artistes. Ils l'adoraient tous, et je fus bien accueillie partout où je suis allée. Il a planifié des expositions pour moi et m'a donné beaucoup de conseils. Je lui suis reconnaissante de m'avoir introduite dans le monde de l'art moderne.

Au départ, Peggy espère exposer le travail de Brancusi, mais le sculpteur roumain a temporairement quitté Paris, et Peggy approche Jean Cocteau, dont les scandaleux nus sur draps de lit ne manqueront pas d'attirer les médias pour l'exposition inaugurale. Les premiers spectateurs à se scandaliser sont les douaniers britanniques, que Peggy parvient à apaiser, avec l'aide de Duchamp, en acceptant de montrer les draps de Cocteau, mais uniquement dans son bureau privé. Duchamp lui présente également d'autres artistes, parmi lesquels Kandinsky, Tanguy et Jean Arp, dont la sculpture en bronze *Tête et coquille* de 1933 sera, écrit Peggy, « la première œuvre que j'ai achetée pour ma collection. [Arp] m'a emmenée à la fonderie où elle était en cours d'exécution et je suis tombée amoureuse au point de demander à pouvoir la prendre dans mes bras. À l'instant où je l'ai sentie entre mes mains, j'ai voulu la posséder ». De tels passages soulignent le fait que, pour Peggy, posséder de l'art est davantage une passion qu'un calcul commercial.

Au cours de cette période, elle écrit à Emily Coleman : « Je suis à Paris, occupée à travailler dur pour ma galerie et à baiser. » Comme on peut le voir, dans cette lettre et la suivante, qu'elle envoie à Emily fin mars, son vieux besoin de choquer se combine avec le refus nouveau d'éviter de reproduire le schéma qui lui a causé tant de douleur par le passé : tomber amoureuse et se laisser entraîner dans des relations dégradantes et violentes. Même parmi ses amis de bohème, cette liberté de jouir sans implication émotionnelle est inhabituelle chez une femme, et certainement rare pour quiconque venant de la société refoulée dans laquelle Peggy a été élevée.

Sermonnée par Emily, qui suggère que sa vie érotique est aussi préoccupante et autodestructrice que celle de Djuna Barnes, Peggy répond :

> Lorsque tu compares mes parties de baise avec l'alcoolisme de Djuna, je pense que tu te trompes là encore. La vie entière de Djuna s'est effondrée à cause de son ivrognerie. Mais ma baise n'est qu'une distraction. Mon travail passe toujours en premier et mes enfants sont encore là. Voilà le centre de ma vie. On a toutes besoin de sexe et d'un homme. Ça nous maintient vivantes, amoureuses et féminines. Quand on est incapable de parvenir à faire sa vie avec des personnes inférieures – et Dieu merci, c'est mon cas –, il faut pourtant bien de temps à autre se livrer à la vie physique et à ses conséquences. […] Je trouve les hommes, et l'homme en général, vraiment stimulants, mais désormais, Dieu merci, je peux compter sur mes propres forces et sur mon être intérieur. John en avait semé les graines et Garman les a fait pousser en les arrosant. La nécessité de pouvoir compter sur moi-même.

La lettre est surprenante, non pas tant en raison de la décontraction totale de Peggy vis-à-vis de sa propre sexualité, mais pour la rapidité avec laquelle elle a rompu avec le rôle de maîtresse de maison et femme au foyer – attendant patiemment à la campagne les visites de Garman en fin de semaine – pour devenir une femme qui considère Garman comme une de ces « personnes inférieures » avec lesquelles elle ne peut pas faire sa vie, une femme qui place son travail au-dessus de tout et sait qu'elle possède un moi intérieur sur lequel se reposer. La victoire de Peggy sur sa dépendance vis-à-vis des hommes ne durera pas toujours – elle s'engagera plus tard dans des relations qui ne seront pas moins abusives qu'au temps de sa jeunesse –, mais il n'empêche qu'elle vient de franchir un cap remarquable : elle est parvenue à puiser dans cette énergie qui lui permettra d'accomplir la tâche pour laquelle elle restera dans les mémoires.

Cependant, comme chacun sait, le moyen le plus sûr de tomber amoureux est d'y renoncer. Alors que Peggy célèbre sa nouvelle indépendance, elle cède au charme d'un homme tout aussi difficile que ses amants précédents – mais beaucoup plus talentueux. Après avoir passé des années à tenter de se convaincre que son bien-aimé était un génie, elle en a finalement rencontré un vrai.

Le lendemain de Noël 1937, Peggy participe à une soirée chez Helen Joyce (qui, après un mariage avec Leon Fleischman et une liaison avec Laurence Vail, a aidé à convaincre Peggy de déménager à Paris) et son mari du moment, Giorgio Joyce, le fils de James Joyce. Parmi les invités se trouve un jeune écrivain irlandais du nom de Samuel Beckett.

On a accusé Peggy Guggenheim de traquer les hommes célèbres, mais il faut se rappeler qu'à l'époque de leur rencontre, Beckett est quasiment inconnu. Il a publié un petit ouvrage sur Proust, un recueil de nouvelles, *More Pricks of Kicks*[1], et un essai sur le « travail en cours » qui deviendra le *Finnegans Wake* de James Joyce. Si Beckett a déjà accompli davantage que John Holms et Douglas Garman réunis, Peggy n'a aucun moyen de savoir qu'il continuera à écrire en enchaînant les chefs-d'œuvre, qu'il gagnera le prix Nobel, ni que ses romans, pièces et nouvelles deviendront des œuvres cultes de la littérature mondiale. Dans la première édition de ses mémoires et dans les histoires qu'elle raconte à ses amis, le nom que Peggy a choisi pour désigner Beckett est celui d'Oblomov, d'après le héros du roman éponyme russe : un homme qui n'arrive pas à rassembler la force de volonté ou la simple détermination requise pour sortir de son lit.

Beckett est très beau, mince et ressemble un peu à un renard, avec ses pommettes saillantes et ses yeux étonnamment luisants. C'est un littéraire, un orateur : tout à fait le genre de Peggy. Il est aussi dix ans plus jeune qu'elle. « Un Irlandais grand et élancé, d'une trentaine d'années, avec d'immenses yeux verts qui ne vous regardaient jamais. Il portait des lunettes et semblait toujours

---

1. *Bande et sarabande*, trad. Édith Fournier, Paris, Éditions de Minuit, 1995.

plongé dans la résolution de quelque problème intellectuel ; il parlait très rarement et ne disait jamais rien de stupide. Il était excessivement poli, mais assez maladroit. »

Après le dîner chez Helen et Giorgio, le jeune écrivain raccompagne Peggy chez elle, demande à monter, puis l'invite maladroitement à s'allonger à côté de lui sur le canapé. Ils vont ensuite se coucher et resteront au lit jusqu'au lendemain soir. « Nous y serions encore », écrit Peggy, si elle n'avait pas accepté de dîner avec Jean Arp. Beckett la quitte brusquement, sur ces mots : « Merci, on a passé un bon moment ensemble. »

Quelques jours plus tard, ils se retrouvent dans la rue, par hasard – même si Peggy ne croit pas que ce fut un hasard accidentel, qu'elle devait inconsciemment le chercher. Ensemble, ils se rendent à l'appartement de Mary Reynolds, où ils restent au lit, selon le compte de Peggy, douze jours d'affilée, alors que d'autres – dont les biographes de Beckett – affirmeront que c'est une exagération.

Dans une lettre à son ami le poète Thomas McGreevy, Beckett écrit le 5 janvier 1938 : « Peggy Guggenheim est là et je la vois beaucoup. Elle démarre une galerie sur Cork Street, qui ouvre le 22 courant, avec des dessins et des meubles de Cocteau. Ensuite, il y aura Kandinsky, Arp, Brancusi, Benno, etc. […] J'ai donné ton adresse à Guggenheim et elle est impatiente de prendre contact avec toi au plus tôt. Elle rentre à Londres probablement demain. J'espère que quelque chose en sortira pour toi. »

L'écrivain irlandais introverti et l'héritière américaine volubile semblent former un couple improbable, mais tous deux pratiquent un humour sarcastique et s'intéressent beaucoup à l'art. Si Beckett parle à Peggy de sa préférence pour les vieux maîtres, en la persuadant que l'art moderne est « une chose vivante », il l'incite néanmoins à acquérir des œuvres modernes, en lui disant que c'est là son devoir. Grande lectrice, Peggy a toujours été avide de discuter littérature. Beckett et elle comparent les mérites respectifs de Céline et de Joyce – comme elle n'a jamais pu le faire avec Garman. Ce dernier avait même essayé de l'empêcher de lire Proust – et Sam Beckett a justement écrit un livre sur cet auteur.

En outre, le comportement imprévisible de Beckett le rend irrésistible aux yeux de Peggy. Il boit beaucoup et souvent jusqu'à l'ivresse. Ne sachant jamais ce qu'il fait ni quand il va réapparaître, Peggy finit par tomber amoureuse. Cité dans la biographie de Deirdre Bair, un ami de Beckett a déclaré : « Elle était sensuelle, attirante ; toujours intéressée par la littérature, mais seulement en fonction de ce que celle-ci pouvait lui apporter ou de comment elle pouvait la ramener à elle. Elle a reconnu quelque chose en Sam, et je pense qu'elle a voulu prendre part à toutes les bonnes choses qui lui arriveraient. »

Après des années passées à soutenir le travail d'un homme ou son absence de travail, cette fois Peggy tient le rôle de celle qui a une tâche à accomplir – même si Sam Beckett préférerait qu'elle reste au lit et à boire. Les préparatifs pour l'exposition Cocteau occupent l'essentiel de son temps, et Peggy note l'ironie d'avoir dû se construire une carrière parce qu'elle n'avait aucune vie personnelle, pour finalement voir sa vie personnelle ruinée par sa carrière.

Juste avant le départ de Peggy pour Londres, Beckett est attaqué dans la rue et poignardé en plein cœur par un inconnu qui lui demandait de l'argent. Devant la gravité de la blessure, il est hospitalisé et veillé par Suzanne Deschevaux-Dumesnil (une musicienne avec qui il habitera pendant plusieurs années et qu'il finira par épouser). Suzanne, écrit Peggy, « faisait des rideaux pendant que je faisais des scènes ».

La relation de Beckett et Peggy dure, par intermittence, pendant treize mois. Mais ils ne seront jamais aussi heureux que durant ces douze jours (ou moins) qu'ils ont passés au lit dans l'appartement de Mary Reynolds. Dans une interview de 1973, Peggy déclare à Deirdre Bair : « Je ne pense pas qu'il ait été amoureux de moi pendant plus de dix minutes. Il était incapable de prendre la moindre décision. Il me voulait à ses côtés, mais il ne voulait rien avoir à faire pour cela. »

Pendant qu'elle prépare l'accueil des œuvres de Cocteau, Peggy assiste à l'Exposition internationale du surréalisme, qui s'ouvre le 16 janvier 1938 à la galerie Beaux-Arts. Dans la cour de la galerie, les visiteurs découvrent le *Taxi pluvieux* de Salvador Dalí, un taxi noir dans lequel une femme mannequin, recouverte d'escargots vivants, est affalée au milieu d'une végétation luxuriante, qui prolifère derrière les fenêtres inondées de pluie. À l'entrée de l'exposition se tiennent quinze mannequins décorés par les artistes, censés représenter l'objet de leur désir ; la tête du mannequin d'André Masson est insérée dans une cage à oiseaux, abritant un banc de poissons rouges en celluloïd. Au plafond de la salle principale, Duchamp a suspendu 1 200 sacs de charbon, tandis que le sol est recouvert de feuilles mortes, amoncelées vers le centre de la pièce, où brûle un brasier. L'odeur du café torréfié remplit l'air, tandis que retentissent des rires hystériques, enregistrés dans un véritable asile psychiatrique. À l'entrée, les invités reçoivent des torches électriques pour les aider à traverser l'obscurité régnant dans les salles, qui présentent des œuvres de Giacometti, Ernst, Man Ray, Breton, Magritte et Miró, ainsi que *Le Déjeuner en fourrure* de Meret Oppenheim.

Depuis, le public a connu bien des installations artistiques : de *L'Étrange Cité* d'Ilya Kabokov aux rues bondées de Red Grooms, en passant par le lieu de pèlerinage que Marina Abramowicz a créé dans l'atrium du musée d'Art moderne de New York. Mais pour les visiteurs de l'Exposition surréaliste de 1938, le monde alternatif qu'on leur présente constitue une expérience entièrement nouvelle.

On comprend facilement pourquoi Peggy se sent tellement attirée par le surréalisme. Dans son journal, Emily Coleman fait référence au sens de l'humour surréaliste de Peggy. Nombre des principes sur lesquels le mouvement est basé semblent décrire la personnalité même de

Peggy : le désir de choquer, de défier et de détourner les conventions, de libérer l'inconscient, de s'engager dans des discussions franches sur la sexualité. Pour Peggy, la visite de cette exposition représente une immersion soudaine dans un environnement où le confidentiel et l'intime sont célébrés comme objets artistiques. Timidement et progressivement à Guggenheim Jeune, et ensuite plus ouvertement à Art of This Century, elle tentera de recréer quelque chose de l'expérience muséale que les surréalistes ont su inventer à Paris.

Pendant ce temps, Duchamp supervise l'accrochage des œuvres de Cocteau dans la galerie de Peggy. Celle-ci quitte Paris pour Londres, afin de procéder à l'ouverture de Guggenheim Jeune le 24 janvier 1938.

La décision de commencer par une exposition de Cocteau se révèle judicieuse : son nom est connu en Grande-Bretagne, mais surtout pour ses écrits et pour son film *Le Sang d'un poète*. Si son œuvre plastique est moins familière au public britannique, elle reçoit pourtant un bon accueil de la presse. Les journalistes notent également le soin prestigieux apporté au vernissage, pour lequel Peggy porte des boucles d'oreilles réalisées à partir d'anneaux de rideaux en laiton.

La deuxième exposition de Guggenheim Jeune, une rétrospective de Kandinsky et la première présentation en Angleterre de son œuvre, rencontre un succès encore plus grand qu'avec Cocteau. Kandinsky et son « horrible » épouse (selon Peggy) ont organisé l'accrochage, qui présente des peintures réalisées entre 1910 et 1937.

156

Solomon Guggenheim a collectionné les peintures de Kandinksy, mais fut dissuadé de poursuivre dans cette voie parce que la baronne Rebay avait un amant, Rudolf Bauer, qui considérait Kandinsky comme un rival. Quand Peggy écrit à son oncle pour lui proposer de lui vendre un Kandinsky, elle reçoit une lettre fielleuse de la baronne, l'informant que si Solomon et elle décidaient d'acheter une peinture à une galerie plutôt que directement à l'artiste, Guggenheim Jeune serait le dernier endroit qu'ils choisiraient. Rebay accuse Peggy d'exploiter le nom de la famille Guggenheim, qui représente désormais un « idéal artistique », et de l'utiliser pour vendre des peintures, « comme si ce magnifique travail philanthropique était destiné à donner un coup de pouce commercial à quelque petite boutique ».

De plus, la baronne suggère à Peggy – comme on le verra, avec une certaine sagacité et une certaine prescience – de commencer par une collection au lieu d'une galerie commerciale : « Ainsi, vous pourrez entrer en contact utilement avec les artistes, et vous pourrez faire donation d'une belle collection à votre pays, si vous choisissez bien. » Peggy répond à la baronne que sa lettre l'a amusée ; Herbert Read lui conseille d'ailleurs de l'encadrer et de l'accrocher au mur de Guggenheim Jeune. Peggy prend soin d'envoyer une copie de sa réponse écrite à l'oncle Solomon, pour apporter un démenti : son intention est d'aider les artistes, pas de tirer profit de leur travail.

Cette réponse sera plus prophétique que Peggy n'aurait pu l'imaginer ou même le souhaiter. Guggenheim Jeune ne sera pas une réussite commerciale, mais la galerie contribuera à asseoir et consolider la réputation de nombreux artistes mieux connus sur le continent qu'en Angleterre.

L'exposition Kandinsky, de la mi-février à la mi-mars, est louée par la presse britannique, qui entend préciser que Guggenheim Jeune ne recherche pas simplement à faire sensation ou à accueillir des vernissages sophistiqués. C'est une galerie *sérieuse*, qui montre et vend de l'art important. Au cours de l'exposition, un professeur d'art venu d'une école privée du nord de l'Angleterre demande à Peggy l'autorisation de montrer dix tableaux de Kandinsky à ses étudiants. « Ravie » par cette idée et l'opportunité offerte de populariser l'art moderne, Peggy demande l'autorisation à l'artiste – qui accepte, à condition que ses œuvres soient couvertes par une assurance. À la fin de l'exposition, le professeur attache les toiles à sa voiture et les emmène dans son école. En ramenant les tableaux, il racontera combien ceux-ci ont fait sensation auprès des élèves.

Peggy continue de venir à Paris, où elle visite des artistes et où la romance qu'elle a débutée avec Beckett s'achève. Ensemble, ils assistent à la fête d'anniversaire de James Joyce. Beckett donne à son mentor une canne en prunellier[1], et Peggy contribue à l'achat d'un type de

---

1. Objet d'artisanat traditionnel en Irlande.

vin suisse que Joyce affectionne particulièrement. Beckett affirme ne pas savoir s'il veut poursuivre sa relation avec Peggy, ni même s'il veut encore coucher avec elle. Aux relations sexuelles se substituent des séances communes de soûlographie et des promenades à pied dans Paris, jusqu'au bout de la nuit.

Peggy a affirmé que sa passion était inspirée par sa conviction que Beckett « était capable d'une grande intensité et qu'[elle pouvait] la mettre en valeur. Lui, au contraire, l'a toujours nié, affirmant qu'il était mort et qu'il ne partageait aucun sentiment humain ». Et comme cela s'était déjà produit avec les autres hommes, la frustration et le rejet ont alimenté l'ardeur de Peggy. Une nuit, « il m'a emmenée chez lui et j'ai songé à quel point vraiment je l'aimerais moins s'il m'appartenait. En fait, quand il m'a pris le bras, j'ai eu l'illusion que tout était établi entre nous et j'ai pensé : quel ennui profond ! ». Mais l'impression est de courte durée. Une fois parvenus à l'appartement de Beckett, l'écrivain pris de panique se précipite dehors, laissant sa compagne toute seule chez lui.

Heureusement, Peggy est moins facilement blessée et bouleversée qu'elle ne l'était autrefois par ses péripéties amoureuses. Dans une lettre à Emily Coleman, elle assure de nouveau à son amie que le travail est au centre de sa vie et qu'elle est fière de ce qu'elle a déjà accompli.

La nouvelle exposition prévue dans sa galerie, celle d'un peintre britannique relativement conventionnel nommé Cedric Morris, relève d'un choix moins évident. Mais un esclandre déclenche une publicité bienvenue :

l'un des modèles du peintre tente de brûler les catalogues sur place et se fait agresser par Morris en réaction.

S'ensuit une exposition groupée de sculptures par des artistes tels qu'Arp, Brancusi, Henry Moore et Alexander Calder. Une fois de plus, les agents des douanes britanniques interviennent, en vertu d'une loi visant à protéger les sculpteurs de dalles funéraires par une taxation sur la pierre importée. J.B. Manson, le directeur de la Tate Gallery, est appelé à se prononcer sur le fait que les sculptures exposées relèvent bien de l'art ; dans le cas contraire, elles seront soumises à un coûteux droit d'importation. Manson juge que ces œuvres d'art n'en sont pas.

Pour protester, Wyn Henderson lance une pétition, aussitôt signée par des critiques d'art tels qu'Herbert Read et Clive Bell. L'affaire est portée à la Chambre des communes, et la galerie remporte la partie. « M. Manson non seulement n'a pas obtenu gain de cause, mais très vite il a aussi perdu son travail. J'ai donc rendu un excellent service aux artistes étrangers et à l'Angleterre. »

Si Peggy a perdu tout espoir d'un avenir avec Beckett, elle accepte d'exposer les œuvres de Geer van Velde, un artiste hollandais, ami de son amant, qui admire ses tableaux. Le bref exposé du catalogue, rédigé par Beckett, contient une chronologie très résumée de la carrière du peintre (« Né troisième d'une fratrie de quatre, le 5 avril 1898 à Lisse, près de Leyde. Tulipes et Rembrandt ») et les lignes suivantes, dans lesquelles on reconnaît le style de Beckett : « Pense que la peinture devrait se mêler de ses propres affaires, à savoir de couleurs, à savoir pas plus de Picasso que de Fabritius ou Vermeer. Et inversement. »

Beckett a beau suggérer que les peintures de son ami doivent autant à Vermeer qu'à Picasso, les critiques britanniques estiment qu'elles ressemblent davantage à des pastiches de Picasso. Mais parce qu'elle aime Beckett, Peggy achètera plusieurs toiles de van Velde, en prenant soin de dissimuler sa propre identité sous différents pseudonymes.

À la fin de l'exposition, Peggy invite van Velde et son épouse à passer un week-end à Yew Tree Cottage, où Beckett les rejoint. L'écrivain avoue à Peggy que sa relation avec Suzanne est devenue plus sérieuse. Peggy affirme ne pas s'inquiéter : Suzanne, d'après elle, est peu attrayante et davantage une mère qu'une amoureuse. Mais, pour mettre au défi la jalousie éventuelle de Beckett, Peggy noue une relation, courte mais notoire, avec le marchand d'art E.L.T. Mesens, qui dirige une galerie à côté de la sienne et édite une revue surréaliste, *The London Bulletin*, qui a financé gratuitement les catalogues de Peggy en échange d'une publicité payante dans sa publication. Peggy aurait aimé partager la coédition de la revue, mais Mesens souhaite rester fidèle à son collaborateur... Humphrey Jennings.

Peu après, Beckett et Peggy partent en voiture pour le sud de la France, en compagnie des van Velde. Sur le chemin du retour, Beckett a réservé une chambre avec des lits jumeaux et refuse de partager celui de Peggy. Le matin, ils arpentent Dijon, visitent les musées. Peggy dit à Beckett qu'il est devenu beaucoup plus gentil. Beckett est soulagé que Peggy ne lui fasse plus de scènes. Ils partagent des moments si conviviaux qu'ils se séparent à contrecœur, « Beckett comme d'habitude, regrettant de m'avoir quittée ».

Début juillet, Guggenheim Jeune expose des paysages surréalistes d'Yves Tanguy, que Peggy a rencontré à Paris et dont elle s'est entichée. Elle trouve que Tanguy et son épouse, qui n'ont jamais visité l'Angleterre, sont « ingénus et si différents de toutes les personnes blasées que je connaissais que c'était un plaisir d'être en leur compagnie ». Elle est ravie de la manière dans l'exposition de Tanguy est présentée, et dans ses mémoires, elle la décrit avec plus d'enthousiasme que tout autre événement présenté dans sa galerie.

Peggy achète une toile de Tanguy intitulée *Le Soleil dans son écrin*, qui, écrit-elle, l'a effrayée pendant longtemps. Mais sachant que c'était la meilleure production de l'exposition, elle a surmonté sa peur. Dans cette déclaration, on peut entendre l'ancienne Peggy – l'amatrice volage, se plaignant de ne pouvoir acheter un tableau qui lui fait trop peur – céder la place à une Peggy possédant assez d'assurance et de confiance en elle pour choisir une œuvre, tout aussi perturbante qu'elle soit. L'exposition remporte un beau succès – critique, commercial et esthétique – et Peggy est particulièrement satisfaite de l'accrochage. Au cours de l'exposition, Wyn Henderson loue une vedette rapide sur laquelle se déroulera une fête arrosée, donnant lieu à plusieurs altercations déclenchées par des « jalousies diverses ».

Tanguy est heureux de recevoir de l'argent pour la première fois de sa vie. Malgré l'amélioration de ses finances, sa personnalité modeste et « adorable » ne change pas. Lorsqu'il est ivre, ce qui selon Peggy arrive assez souvent, ses cheveux se dressent sur sa tête. Fervent disciple de Breton, il est très engagé dans le mouvement surréaliste. « C'était pire que pratiquer une religion, et cela gouvernait toutes ses actions, comme le communisme de Garman. »

Le plaisir que Peggy prend à passer du temps en compagnie des ingénus M. et Mme Tanguy ne l'empêche pas de séduire le peintre. Même si elle peut se montrer extrêmement possessive, Peggy ne semble jamais voir le mal qu'il peut y avoir à coucher avec les amants ou les maris d'autres femmes. Peu avant son aventure avec Tanguy, elle en a vécu une rapide avec Giorgio Joyce, dont la femme Helen est son amie depuis l'époque où Peggy travaillait à la librairie *Sunwise Turn* de New York, et qui – au moment où Peggy couche avec Giorgio – est à l'hôpital pour dépression nerveuse.

Cet épisode est symptomatique de l'un des pires défauts du caractère de Peggy : un certain manque d'empathie qui l'empêche de comprendre que les autres, que ce soit ses enfants, ses amants ou les femmes de ses amants, puissent ne pas réagir comme elle le voudrait. Associé à une incapacité à se refuser le moindre caprice – qu'il s'agisse d'une peinture ou d'un homme –, ce trait l'amène à décevoir les gens qu'elle aime plus gravement que les défauts dont on l'accuse le plus souvent : la promiscuité sexuelle, la superficialité, l'avarice et un sens de l'humour qui frôle parfois la méchanceté.

Emily Coleman, qui a pour son amie une indulgence sans illusion, considère que le principal défaut de Peggy n'est pas cet autocentrisme qui l'empêche d'imaginer la vie des autres – et leurs probables réactions émotionnelles. « Elle est aussi centrée sur elle-même que n'importe quel être humain. Aussi égoïste que je sois, je me concentre parfois sur la vie des autres. Peggy n'en est pas vraiment capable, même si elle pense qu'elle devrait faire l'effort. Elle n'arrive pas à *penser* la vie d'une autre personne. Cette caractéristique, qu'elle déplore [...] semble pour moi révéler qu'elle est, d'une certaine et étrange manière, une artiste. »

La relation de Peggy avec Tanguy débute lors d'une fête donnée par le peintre Roland Penrose, propriétaire de la galerie dirigée par Mesens. Le couple quitte l'assemblée pour se retrouver seul dans l'appartement de Peggy. D'autres occasions de rencontres seront aménagées avec la complicité de Wyn Henderson, qui s'occupe de distraire l'attention de l'épouse, de plus en plus suspicieuse. Comme toutes les histoires amoureuses de Peggy, celle-ci est tempétueuse. Au cours d'une violente dispute, Peggy glisse et tombe dans l'âtre de son immense cheminée, sauvée des flammes par Tanguy *in extremis*.

Lorsque les Tanguy sont de retour en France, Peggy conspire à nouveau pour voir Yves. Elle s'arrange pour faire garder ses enfants, qui vivent avec elle à l'époque. Elle saute dans un bateau pour la France, où elle retrouve son amant et part avec lui à Rouen. Ils attrapent ensuite un autre ferry pour l'Angleterre. Peggy décrit leur « fugue » sans l'ombre d'un remords, ni la moindre compassion pour la malheureuse Mme Tanguy. Elle raconte avec amusement comment Sindbad est surpris de revoir le peintre, cette fois sans son épouse. À Londres, Tanguy lit Proust (ce qui semble devenir une sorte de test soumis par Peggy à ses amants), mais il est impatient de rentrer à Paris pour voir Breton.

Au beau milieu de ces péripéties, Beckett revient fasciner et tourmenter Peggy. En voyant une photo d'elle et de Tanguy, il est devenu jaloux et propose à Peggy d'utiliser son appartement parisien, ce qu'elle accepte – mais pour y passer du temps avec Tanguy. Même si Peggy « aimait vraiment [Mme Tanguy] » et ne veut pas « la rendre malheureuse », elle est à la fois horrifiée et amusée quand, dans un café, elle et son amant tombe sur l'épouse – qui lui lance à la figure trois tranches de poisson.

De son côté, Tanguy sent que Peggy se languit encore de Beckett et l'accuse de vouloir venir à Paris pour retrouver Sam. Sincèrement amoureux et reconnaissant pour son aide dans la promotion de son travail, Tanguy offre à Peggy un briquet gravé d'un dessin érotique et une paire de boucles d'oreilles montrant l'un de ces paysages lunaires typiques de son style. Peggy portera l'une des boucles d'oreilles lors de l'ouverture de sa galerie Art of This Century à New York.

De retour à Londres à la veille de la conférence de Munich, Peggy redoute qu'on déclare la guerre et que Londres et Paris soient bombardés. Dans un accès de panique, elle fait déménager toutes les œuvres de sa galerie à Yew Tree Cottage. Mais lorsque le Premier ministre britannique Neville Chamberlain revient de Munich avec ses fausses assurances sur les bonnes intentions des Allemands, Peggy retourne à Londres et fête ce soulagement en montant une exposition d'art pour enfants. Parmi les œuvres présentées se trouve une peinture de trois hommes nus qui grimpent un escalier – un tableau réalisé par le jeune petit-fils de Sigmund Freud, Lucian.

Heureuse de voir que le travail de Tanguy continue de bien se vendre, Peggy juge que Roland Penrose devrait acquérir une de ses toiles. En tentant de rendre ce service à Tanguy, observera Peggy, elle lui joue un mauvais tour, puisqu'elle se lance alors dans une relation avec Penrose. Ce dernier aime attacher les poignets de ses maîtresses. Une fois, Penrose utilise la ceinture de Peggy ; à une autre occasion, il utilise une paire de menottes en ivoire fermée par un cadenas à clef. Leur romance est de courte durée : Penrose est toujours amoureux de la belle et talentueuse photographe américaine Lee Miller, qui l'a quitté pour épouser un Égyptien et vivre au Caire. Peggy l'incite à repartir à la conquête de Lee, et elle revient vers Tanguy, consterné d'apprendre que Peggy l'a trompé avec Penrose.

Début 1939, Peggy commence à caresser l'idée de créer un musée d'art moderne à Londres. Elle convainc Herbert Read d'en être le premier conservateur et lui promet cinq ans de salaire d'avance ; Wyn Henderson fera partie du personnel. Read déclare à la presse britannique que le musée, qu'il espère voir ouvrir dès l'automne, comprendra une collection permanente et des expositions temporaires, non seulement de peinture, mais aussi de sculpture, musique et architecture, tout en proposant des conférences et des concerts pédagogiques. En espérant pouvoir lever des fonds supplémentaires, Peggy consigne une somme d'argent considérable pour le projet et part à Paris acheter de nouvelles œuvres.

Mais, en septembre 1939, l'invasion de la Pologne par Hitler révèle davantage le projet allemand de domination du monde, ce qui rend la guerre inévitable, et Peggy comprend que ses projets de musée sont plus que compromis. Herbert Read reçoit un confortable dédommagement – la moitié des cinq années de salaire promises – en compensation pour ce projet auquel il continue toujours de croire. En juin, Guggenheim Jeune organise une dernière exposition avec le graphiste britannique Stanley Hayter et les peintures de Julian Trevelyan, puis ferme ses portes de manière festive le 22 juin.

En août 1939, Peggy et son amie Nellie van Doesburg, la veuve du peintre Theo van Doesburg – une femme énergique et extravagante qui restera l'amie de Peggy jusque dans la vieillesse –, partent pour Paris, où Peggy dépense l'argent qu'elle avait mis de côté pour le musée de Londres, afin de financer la nouvelle mission qu'elle s'est assignée : acquérir un tableau par jour.

CHAPITRE IX

Paris avant la guerre

Lorsque Peggy arrive en France, accompagnée de son amie Nellie, elle se trouve dans un état de fragilité et semble avoir perdu une partie de la confiance et de la résilience qu'elle a développées en tant que directrice de la galerie Guggenheim Jeune. Tanguy s'est trouvé une autre maîtresse, l'artiste américaine Kay Sage, et Peggy vit cet abandon comme un rejet douloureux. Sa santé n'est pas très bonne, peut-être en raison des séquelles d'un avortement subi au début de cette année 1939. Peggy et Nellie se rendent ensuite à Megève, où elles remettent Sindbad à son père et à sa belle-mère Kay Boyle, dont la haine pour Peggy semble dépasser sa passion pour l'ancien mari de celle-ci. De Megève, les deux amies repartent pour le sud de la France.

La signature du pacte germano-soviétique accroît considérablement l'incertitude et la tension dans toute l'Europe. Peggy envisage un temps d'emmener les enfants à Londres. Mais Vail la convainc de rester en France jusqu'à ce que les événements se décantent.

Peggy et Nellie décident d'établir un refuge où abriter les artistes, loin de la guerre. Peggy envisage peut-être une large communauté sur le modèle de celle qu'elle a connue à Hayford Hall. Mais ce projet n'aboutira pas. « Si j'avais mieux connu les artistes à cette époque, je n'aurais jamais imaginé un projet aussi fou que d'essayer de vivre avec eux dans une quelconque paix ou harmonie. [...] Dès que je suis rentrée à Paris et que j'ai rencontré quelques-unes des personnes auxquelles j'avais pensé, je me suis rendu compte de l'enfer que ce serait. Elles n'avaient même pas envie de se réunir pour un dîner, alors inutile de leur proposer de vivre ensemble. »

De retour à Paris, une fois ragaillardie, Peggy s'attaque au problème de savoir quoi faire de Djuna Barnes. À ce moment-là, leur amitié s'est tellement détériorée (tout comme la condition physique et mentale de l'écrivaine) que Peggy menace Djuna de lui retirer son soutien si elle ne consent pas à diminuer sa consommation d'alcool. Rendue furieuse par l'idée que Peggy nourrissait l'idée d'ouvrir un musée tandis qu'elle-même mourait de faim, Djuna écrit à Emily Coleman (qui a déménagé en Arizona) que Peggy est devenue aussi folle que les membres de sa famille et qu'elle aurait sûrement déjà été enfermée dans un asile si elle n'était pas aussi riche. Finalement, Peggy organise le départ de Djuna Barnes et d'Yves Tanguy, sur le même bateau, pour les États-Unis.

*Peggy Guggenheim sur la terrasse de son appartement parisien,
dans l'île Saint-Louis (vers 1940).*

Peggy séjourne d'abord chez Mary Reynolds, où elle avait vécu son idylle avec Beckett. Mary est réapparue dans sa vie juste avant que Peggy ne chute dans un escalier et se déboîte le genou, une blessure qui nécessitera un séjour à l'Hôpital américain. À sa sortie, Peggy s'installe dans l'ancien appartement de Kay Sage, sur l'île Saint-Louis.

Paris semble sûr pour l'instant, et Peggy apprécie les charmes de son logement situé en bord de Seine, ainsi que le fait de pouvoir de son lit assister au ballet des lueurs du fleuve se reflétant au plafond. C'est, écrira-t-elle, l'une des périodes les plus heureuses de sa vie. Elle donne de nombreux dîners, qu'elle prépare personnellement, assistée de la femme de chambre de Mary.

Accompagnée de Nellie van Doesburg – qui désapprouve nombre de ses choix et avec qui elle est souvent en désaccord –, Peggy se met donc en tête d'acheter un tableau par jour. Alors qu'elle se précipite d'un atelier à l'autre, d'une acquisition à l'autre, elle est également assistée d'un de ses conseillers les plus influents – un homme excentrique et quelque peu mystérieux, du nom d'Howard Putzel, qui a dirigé une galerie à Los Angeles et qui avait prêté à Peggy certaines toiles de Tanguy pour son exposition à Guggenheim Jeune. Lorsque Putzel arrive à Paris, Peggy a la surprise de découvrir qu'il n'est pas le « petit bossu noir » qu'elle a imaginé, mais plutôt un « bon gros blond ». Dans son livre de souvenirs, Jimmy Ernst décrit Putzel comme un « vieil ours en peluche usé ». En rivalité et souvent en conflit avec Nellie van Doesburg, Putzel encourage et conseille Peggy dans sa fièvre acheteuse, la poussant à acquérir des œuvres qu'elle n'aime pas et d'autres dont, selon lui, elle a besoin pour compléter sa collection et combler ses lacunes.

Un jour, Gala Dalí entraîne Peggy à travers tout Paris, à la recherche d'une peinture de son mari à acheter, tout en reprochant à Peggy cette folie de se consacrer à l'art moderne alors qu'il est beaucoup plus pratique (et plus lucratif) de promouvoir la carrière d'un seul artiste, comme Gala l'a fait et continue à le faire. Comme on peut l'imaginer, les deux femmes se détestent, malgré (ou à cause) des traits de caractère qu'elles partagent : une profonde ambition sociale et professionnelle, une indépendance farouche et le refus épidermique de laisser les conventions dicter leur sexualité et leur vie personnelle.

Avant de rencontrer Dalí, Gala a vécu dans un ménage à trois avec Max Ernst (avant son mariage avec Peggy). Par la suite, Gala et Salvador capitaliseront sur les efforts que Peggy a produits pour familiariser le public avec l'art moderne et pousseront le mouvement beaucoup plus loin, en mettant en scène des canulars publicitaires et des événements retentissants pour entretenir la carrière de Dalí.

Finalement, Peggy achète un tableau intitulé *La Naissance des désirs liquides*. Elle prétendra n'avoir pas réalisé à l'époque à quel point cette toile de Dalí parle de sexualité – on peine à y croire, étant donné que près de la moitié de la peinture est occupée par un bassin humain et qu'au centre de la composition, un homme et une femme nus s'embrassent.

Si la description par Peggy de son mariage avec Laurence Vail fait partie des chapitres les plus dérangeants de ses mémoires, le récit de ses acquisitions artistiques dans le Paris d'avant-guerre est l'un des plus réjouissants. Sous sa plume, cette orgie artistique se transforme en une série d'escarmouches, que Peggy remporte l'une après l'autre en attendant patiemment la reddition des artistes, qui savent que la guerre arrive, qui n'ont aucune idée de ce qui les attend et qui se demandent s'ils retrouveront jamais un autre acheteur pour leurs œuvres – en supposant même que celles-ci en réchappent. Quand Peggy parle d'un jeu, peut-on la croire ? A-t-elle eu des remords au sujet des bonnes affaires qu'elle a faites, des sursauts de conscience qui lui auraient semblé trop ternes et sérieux pour être inclus dans ce compte rendu animé de la manière dont elle a déjoué les Allemands tout en assemblant une collection majeure ? Ses mémoires ne le disent pas. Ce qui semble évident, c'est qu'elle avait un budget limité pour distribuer son aide et ses largesses, et qu'elle était sincèrement convaincue de rendre service aux artistes.

Plusieurs pages de son autobiographie sont consacrées à l'un de ses défis les plus ardus : la bataille pour acquérir *L'Oiseau dans l'espace* de Brancusi. Peggy convoite depuis longtemps cette œuvre en bronze poli dans laquelle le sculpteur roumain a réussi à combiner inertie et mouvement, grâce et chair, vol et envol, dans une verticalité et

un équilibre parfaits. Mais elle n'a jamais pu se l'offrir.
« Le moment semblait désormais venu pour cette splendide acquisition. » Peggy sait que Brancusi en demande
un prix élevé, mais elle espère que leur « excessive amitié » le persuadera de se montrer plus raisonnable. « Mais
malgré tout cela, notre discussion s'est terminée en une
terrible dispute, quand il a demandé 4 000 dollars… »

Après avoir connu l'austérité et avoir sacrifié le plaisir et le confort à son art, Brancusi – qui dormait dans
un réduit au-dessus de son atelier et préparait de déli-
cieux repas sur le feu de sa forge – s'est mis, l'âge venu,
à prendre goût à la belle vie, sans pourtant renoncer à
son esprit facétieux. Il aime descendre dans les hôtels de
luxe, vêtu en paysan et escorté de jeunes filles, et com-
mander ce qu'il y a de plus cher au menu. Il invite Peggy
dans l'une de ces virées, mais elle décline. Ensemble,
ils se mettent sur leur trente et un et sortent cependant
dîner, « mais malgré toute son affection pour moi, je ne
tirais jamais rien de lui ». Vail suggère à Peggy d'épouser
Brancusi pour pouvoir ensuite hériter de sa sculpture,
mais elle soupçonne (sans doute à raison) qu'un tel plan
échouerait.

Un jour, tandis que Peggy et Brancusi déjeunent dans
son atelier, les Allemands mènent un raid aérien sur les
boulevards extérieurs de Paris. Le sculpteur conseille
fortement à Peggy de s'éloigner de la verrière, mais elle
n'y consent qu'à moitié. Ensuite, ils sortent et découvrent
que la ville a été lourdement bombardée, provoquant la
mort de nombreux écoliers.

Plusieurs mois après leur dispute au sujet de *L'Oiseau dans l'espace*, Peggy envoie Nellie pour tenter d'attendrir Brancusi, qui finit par accepter l'offre de Peggy après quelques négociations au sujet du différentiel découlant du taux de change entre le franc et le dollar.

Les Allemands approchent de Paris lorsque Peggy vient prendre possession de sa sculpture, que Brancusi a polie à la main. Peggy affirme ne pas savoir pourquoi le sculpteur était mécontent de vendre son chef-d'œuvre pour une fraction de sa valeur véritable. « Les larmes coulaient sur le visage de Brancusi, et je fus sincèrement émue. Je n'ai jamais su pourquoi il était bouleversé à ce point, mais j'ai supposé que c'était parce qu'il se séparait de son oiseau préféré. »

C'est grâce à Howard Putzel que Peggy rencontre Max Ernst, dont elle admire à la fois l'œuvre et le physique – même si, lors de sa première visite dans l'atelier, le laconisme de l'artiste l'oblige à parler toute seule afin de combler les silences gênants. La maîtresse d'Ernst, Leonora Carrington, beaucoup plus jeune que lui, se trouve à ses côtés. Après la fin de son mariage avec Ernst, Peggy écrira n'avoir pu résister à la rosserie de comparer Leonora et Max à la petite Nell et son grand-père dans le roman de Dickens, *Le Magasin d'antiquités*.

La beauté physique d'Ernst est légendaire. Des années plus tard, lorsque Michael Wishart le rencontre au palais vénitien de Peggy, le temps ne semble pas avoir flétri le charme du peintre.

Avec cette peau tannée, parcheminée, cette ossature délicate et ce nez aussi proéminent qu'un bec, on comprenait immédiatement sa fascination pour les oiseaux. Ses grands yeux férocement pénétrants rappelaient l'extraordinaire acuité d'un épervier. Je n'ai rencontré que deux autres personnes dotées d'un regard aussi intense : Picasso et Francis Bacon. C'est une bien curieuse coïncidence que trois des plus grands peintres de notre époque partageaient cette caractéristique physique avec les oiseaux de proie. Max avait les manières exquises d'un baron allemand de cinéma, et un esprit vif.

Alors que Peggy est venue dans l'atelier parisien d'Ernst avec l'intention d'acheter une de ses peintures, elle repart (Putzel lui ayant dit qu'Ernst est « trop bon marché ») avec une toile de Carrington. Cette décision doit l'avoir hantée quand, peu de temps après, elle s'investit dans un imbroglio sentimental avec Max et Leonora.

Au printemps, Peggy roule jusqu'à Megève pour prendre Sindbad et Pegeen et les emmener faire du ski dans les Alpes. Pendant que les enfants s'en donnent à cœur joie, elle a une aventure avec un Italien, beau mais « parfaitement horrible », qu'elle a rencontré à l'hôtel. Lors de son retour à Megève, Peggy tombe une nouvelle fois dans les escaliers, se blessant la cheville et le coude. Il serait plus prudent de rester en convalescence à Megève, mais, à cause de son animosité encore vive contre Kay, Peggy choisit de retourner à Paris malgré ses blessures, plutôt que de rester plus longtemps en compagnie de Vail et de son épouse.

À la capitale, où l'imminence de la guerre inquiète de plus en plus, Peggy poursuit son shopping artistique. Elle achète une peinture et plusieurs photographies de Man Ray. Son obsession professionnelle déclenche une altercation avec Mary Reynolds, qui accuse Peggy d'être prête, si elle déniche un camion pour transporter ses acquisitions, à renverser tous les réfugiés qui auraient le malheur de se trouver sur son passage.

Blessée par l'accusation de son amie mais nullement découragée pour autant, Peggy loue un appartement place Vendôme où, choisissant d'ignorer la réalité de ces heures dramatiques, elle prévoit de commencer un musée pour exposer sa collection. Ce choix d'emplacement est en partie dû à la particularité romantique que Chopin est mort dans l'une des chambres. Aussitôt, elle entreprend de redécorer et de moderniser l'espace pour offrir un cadre plus adapté.

À la dernière minute, elle retrouve ses esprits, renonce à ce projet délirant et décide d'expédier sa collection loin de Paris. En racontant plus tard cet épisode, Peggy insistera sur la générosité du propriétaire de la place Vendôme, qui avait accepté de faire enlever tous les chérubins et ornements fin de siècle, alors même que Peggy n'avait signé aucun bail ni apporté le moindre dépôt de garantie. « Après mon départ de Paris, j'ai eu mauvaise conscience et lui ai envoyé une indemnité de 20 000 francs. Je n'ai jamais retrouvé un propriétaire de ce genre. » C'est ainsi que l'obligeance d'un bailleur éveilla en elle un remords que toutes les larmes de Brancusi n'étaient pas parvenues à susciter.

Le Louvre refusant d'héberger sa collection, Peggy organise son stockage dans la grange située sur le terrain de l'école de son amie Marie Jolas, près de Vichy. Peggy quitte à regret la capitale, où elle a fait une nouvelle rencontre, celle d'un certain Bill Whidney : « Nous avions l'habitude de nous asseoir dans un café pour boire du champagne. C'est vraiment incroyable aujourd'hui de repenser à la vie frivole que nous menions au milieu de tant de malheurs. Les trains continuaient de déverser dans Paris des wagons entiers de réfugiés plongés dans la misère la plus noire, et les cadavres de ceux qu'on avait mitraillés sur la route. Je n'arrive pas à comprendre comment j'ai fait pour ne pas aller porter secours à tous ces malheureux. Mais voilà, je n'ai rien fait pour eux ; au lieu de cela, je buvais du champagne avec Bill. »

Après avoir réalisé que son permis de séjour a expiré, Peggy essaie de le renouveler. En vain. Son angoisse grandit, alimentée par un cauchemar qui la hante, où elle se voit piégée à Paris.

Les relations charnelles sont devenues pour Peggy non seulement une source de jouissance et d'excitation, mais aussi un analgésique qui soulage sa peur. Au cours des derniers mois précédant l'invasion allemande, alors qu'au fond d'elle-même elle sait qu'elle devra quitter l'Europe, même si elle prétend (pour elle-même et les autres) que les choses pourraient retrouver leur cours habituel, elle prend une série d'amants de passage, parmi lesquels cet homme marié, Bill Whidney, et cet « horrible » mais bel Italien, avec lequel elle flirte tandis que Pegeen et Sindbad font du ski.

Trois jours avant l'entrée des Allemands dans Paris, Nellie, Peggy et ses deux chats persans quittent la ville dans sa Talbot décapotable bleue, le coffre plein de bidons d'essence qu'elle avait stockés. Malgré les horreurs bien connues de cet exode de masse, le long des routes mitraillées par les avions allemands, Peggy en garde un souvenir joyeux : « C'était palpitant. »

Leur progression est d'abord lente, tandis qu'elles bouchonnent en direction de Fontainebleau, au milieu des colonnes de réfugiés encombrés de leurs biens. Puis le trafic devient rapidement plus fluide. La plupart des gens fuient vers le sud, vers Bordeaux, alors que Peggy – malgré la menace de tomber sur l'armée italienne – roule en direction de l'est, vers Megève, où ses enfants demeurent en sécurité auprès de Vail et Kay.

Vail pense qu'elles devraient éviter le chaos des routes françaises et rester à Megève, le temps de voir comment la situation évolue. Sur son conseil, Peggy accepte d'attendre, jusqu'à ce qu'elles soient certaines de devoir quitter l'Europe. En profitant pour se détendre au lac d'Annecy, elle cherche une liaison avec un homme d'une classe sociale inférieure, une aventure torride à la D.H. Lawrence. Elle a tôt fait de trouver un coiffeur qui semble avoir excellé davantage comme amant que dans sa profession officielle.

Les efforts de Peggy pour garder leur histoire secrète l'obligent à passer beaucoup de temps dans le salon, où elle se fait teindre les cheveux dans une couleur différente presque toutes les semaines et où elle persuade Pegeen d'adopter une permanente peu flatteuse.

À cette époque, Sindbad a 17 ans, et sa sœur 15. Pendant la période scolaire, il fréquente Bedales, un internat progressiste situé dans le comté anglais du Hampshire, aux côtés de camarades tels que Michael Wishart, décrits comme « de charmants voyous, exotiques et onanistes ». À Bedales, la discipline est plutôt relâchée, voire inexistante : on dispense Wishart de cours quand il prétend être plongé dans un « coma d'inspiration » devant son chevalet. Sindbad choisit de s'adonner au sport, en particulier le cricket qu'il adore – une passion que sa mère juge incompréhensible.

Pegeen a des penchants plus artistiques, que Peggy a toujours encouragés. Il est impossible de savoir, et inutile d'imaginer, à quel point le désir de peindre de Pegeen est inné ou authentique, s'il est dû à la fréquentation d'artistes et dans quelle mesure il ne relève pas d'une tentative pour attirer l'attention d'une mère négligente ou occupée ailleurs, dont l'amour (et l'intérêt) pour l'art et les hommes est souvent plus impérieux que les sentiments maternels.

Cet été-là, Pegeen et Sindbad (ainsi que leurs frères et sœurs) sont l'objet d'inquisitions ludiques – et intrusives – de la part des adultes au sujet de leur vie intime. Pour Peggy, Laurence et leurs amis, c'est une autre façon de se distinguer de la société bourgeoise refoulée et apparemment, surtout après de larges quantités d'alcool, de s'amuser en discutant de sexe en présence des jeunes : ont-ils déjà perdu leur virginité ? Et sinon, quand comptent-ils le faire ?

Pour compliquer les choses, pendant leur séjour au lac d'Annecy, Peggy et ses enfants se sont rapprochés d'une famille franco-américaine, les Kuhn, qui vivent à proximité. Sindbad est tombé amoureux de la fille Kuhn, Pegeen s'est entichée du fils, et Peggy elle-même a eu une brève et comique idylle – une sorte de farce à la française – avec le frère de la mère, tout juste enfui d'un camp de prisonniers. Le récit par Peggy de ses romances estivales – avec le coiffeur du village et l'« oncle » des voisins – donne l'impression qu'elle commence à considérer tout nouveau territoire comme un terrain de chasse pour ses conquêtes sexuelles.

À la fin de l'été, Peggy et Nellie déménagent pour Grenoble. Et Peggy se rend fréquemment à Marseille, où elle s'implique dans le Comité de secours d'urgence. Varian Fry prouve son habileté de leveur de fonds en lui suggérant de sauver André Breton, sans doute le plus important des artistes surréalistes, ainsi que sa famille et son médecin. Le sauvetage des Breton est une cause honorable, puisque Peggy peut difficilement refuser d'aider l'un des pères fondateurs du mouvement dont elle a défendu, exposé et vendu les œuvres. Elle accepte de financer le passage du couple aux États-Unis, mais refuse d'aller jusqu'à payer le voyage du médecin.

La générosité de Peggy lui permet d'être accueillie à Air-Bel, cette villa spacieuse et délabrée du XIXe siècle, située à la périphérie de Marseille, où Fry héberge les artistes réfugiés pendant que ses collègues et lui réunissent l'énorme paperasserie requise pour quitter la France, traverser la péninsule Ibérique et entrer aux États-Unis. « Afin d'obtenir un visa de sortie, il fallait d'abord trouver des garanties de soutien et de parrainage signées par des autochtones du pays d'accueil, ainsi qu'un visa d'entrée validé par le gouvernement concerné (ce qui n'était pas une mince affaire à destination de l'Amérique). En outre, il fallait se procurer des visas de transit pour chaque étape du périple. Et les bateaux disponibles étaient si rares et peu fréquents que, même quand on réussissait à réunir tous les visas nécessaires, au moment où l'on pouvait réserver sa place à bord, l'un de ces visas avait expiré, ou bien l'on était à court d'argent, ou bien les deux. »

Avec Breton pour pivot, la vie sociale à Air-Bel est un *happening* surréaliste permanent, dont certaines particularités ne sont pas sans rappeler les étés de Peggy à Hayford Hall. Chaque soir, les résidents parlent sexualité, lisent à voix haute des textes surréalistes et jouent à des jeux tels qu'*Action ou vérité*, *Cadavres exquis* ou l'un de leurs divertissements favoris intitulé *Qui voudriez-vous le plus voir mort ?* Ou encore, Breton place au centre de la table une bouteille dans laquelle des mantes religieuses s'accouplent et s'entredévorent.

Cependant, malgré les efforts des artistes pour rester optimistes et productifs, leurs inquiétudes augmentent, à mesure que le danger s'intensifie. En décembre 1940, avant la visite officielle du maréchal Pétain à Marseille, une escouade de policiers en civil débarque à Air-Bel, fouille les chambres et arrête les résidents. Les prisons de la ville étant pleines, les artistes et leurs familles sont consignés à résidence sur un navire ancré au large. Breton est descendu à fond de cale, avec Varian Fry. Ils y restent détenus pendant quatre jours, puis sont relâchés, uniquement une fois que la tournée du chef de Vichy dans la ville portuaire s'est achevée sans incident.

Au cours de l'hiver 1941 débarque à Air-Bel Max Ernst, qu'on vient d'extraire de son camp de prisonniers. Il reçoit un accueil chaleureux de la part des autres artistes, qui connaissent et admirent son travail. Et c'est là que Peggy retrouve le peintre dont elle a visité l'atelier lors de son accès de fièvre acheteuse à Paris.

Dans un essai de 1936, Max Ernst parle de lui-même à la troisième personne : « Les femmes ont du mal à concilier la douceur et la modération de ce qu'il dit avec la violence tranquille de ses idées. Elles le comparent à un tremblement de terre, mais un tremblement de terre si bien élevé qu'il déplace à peine les meubles. [...] Ce qui leur est particulièrement désagréable – ce qu'elles ne peuvent supporter, en vérité – c'est leur incapacité à définir CE QU'IL EST. [...] Les dames le décrivent [...] comme un monstre qui adore bouleverser le paysage. »

Dans son livre qu'il consacre à Ernst, John Russell explique que le propos réel de ce passage concerne « l'équilibre que l'artiste trouve entre les forces opposées contenues dans sa nature, et le fait que cet équilibre doit être révélé par des moyens en partie conscients et en partie inconscients ». Soit, mais il n'en demeure pas moins que lorsqu'un écrivain parle de « femmes » et de « dames », on est en droit de supposer qu'il désigne, au moins en partie, des femmes et des dames.

Au moment où Max et Peggy entament leur relation, tout le monde au sein de leur cercle d'amis semble savoir qu'Ernst a quitté sa seconde épouse Marie-Berthe pour Leonora Carrington, qui a perdu la raison pendant le dernier internement d'Ernst et se trouve alors dans un asile psychiatrique. Carrington est célèbre non seulement pour sa beauté, mais aussi pour son talent et son esprit ; elle bénéficie d'un respect que les surréalistes n'ont accordé qu'à de rares femmes. Un soir, dans un restaurant élégant, elle s'est badigeonné les pieds de moutarde tout en discutant avec les autres invités, une action surréaliste qui impressionna même André Breton, lequel qualifia Carrington de « superbe dans ses refus, d'une authenticité humaine sans limites ».

Peggy sait tout cela, lorsqu'elle assiste à la fête donnée pour le 50ᵉ anniversaire de Max et qu'elle a avec lui ce fameux badinage lapidaire :

– Quand pouvons-nous nous revoir ?

– Demain à quatre heures au Café de la Paix, et vous savez pour quoi faire.

En étudiant les péripéties amoureuses de Peggy Guggenheim, on peine à trouver le moindre élément qui puisse rassurer sur son caractère, sa stabilité émotionnelle, sa chance ou la simple possibilité de relations honnêtes et bienveillantes entre hommes et femmes. En 1941, Peggy n'est plus une jeune femme naïve et isolée, prête à accepter toutes les humiliations que Laurence Vail la pressentait capable de supporter. À 43 ans, elle a déjà connu le succès en dirigeant une galerie à Londres et dépensé des dizaines de milliers de dollars pour bâtir une collection d'art moderne. Elle a deux enfants, des amis proches, de l'argent et un but.

Mais lorsqu'elle tombe amoureuse de Max Ernst, elle s'engage dans une relation aussi dégradante que celles qu'elle a connues par le passé. D'abord intrigué, Ernst reste avec Peggy pour son argent, pour sa volonté de l'aider à fuir hors d'Europe, pour la sécurité qu'elle lui apporte, et plus tard pour son aide à l'établir aux États-Unis. Des années plus tard, des gens qui connaissent bien Peggy – les historiens de l'art Rosamond Bernier et John Richardson – relèveront, comme un fait notoire, que l'intérêt de Max pour Peggy était en fin de compte financier.

Avec le don qu'elle a pour ignorer ce qu'elle choisit de ne pas voir, Peggy tombe encore davantage sous le charme de Max. Quand elle l'amène à Megève, Pegeen et Sindbad (sans doute reconnaissants pour cette occasion offerte de ne plus rester à regarder le mariage de leur père avec Kay Boyle se désintégrer, au moment où ils s'apprêtent à quitter le continent où ils ont passé toute leur vie) sont séduits par l'aura de mystère autour de Max, par sa cape et ses manières courtoises. Mais même les deux adolescents ne tardent pas à comprendre les intentions véritables du nouveau petit ami de leur mère.

Peggy sait que Max ne lui apportera que de la souffrance – tout comme elle sait qu'elle devra quitter l'Europe, qu'en tant que juive, elle ne pourra plus revenir en France, que la visite de la police dans sa chambre d'hôtel à Marseille aurait pu finir bien plus mal (sans avoir besoin des mises en garde de Max), que la signature falsifiée sur son visa pose un problème, et qu'il faudra beaucoup d'efforts et un peu de chance pour réussir à faire sortir Max Ernst et sa famille de France, et pour les mettre en sécurité aux États-Unis.

CHAPITRE X

New York

Personne ne s'attendait à un voyage facile. Max Ernst est retenu à la frontière espagnole – et aurait été sûrement arrêté sans la bienveillance d'un garde français, qui leur indique lequel des deux trains attendant à la gare se dirige bien vers l'Espagne : c'est justement celui qu'on interdisait à Ernst de prendre, et dans lequel il saute promptement. Le groupe, composé de Peggy et Ernst, Kay et Vail, ainsi que les enfants, se retrouve ensuite à Lisbonne – où Kay se fait hospitaliser, soi-disant pour une sinusite, mais surtout pour s'éviter le tumulte des retrouvailles entre son futur ex-mari et son ex-épouse, le nouvel amant de l'ex-épouse, et la maîtresse de l'amant de l'ex-épouse, Leonora, qui vient inopportunément de les rejoindre.

En retrouvant Peggy à la gare de Lisbonne, Max lui apprend que Carrington a refait surface, relâchée de l'asile, au bras d'un diplomate mexicain qu'elle a l'intention d'épouser – au grand dam de Max. Celui-ci ne fait aucun effort pour cacher qu'il est toujours amoureux de Leonora. Peggy et ses enfants louent des chambres dans un hôtel, tandis que Vail, Kay et leurs filles s'installent à la pension où réside Max – qui tente de faire du tri dans ses sentiments.

Peggy est tellement contrariée (amoureuse d'Ernst, c'est aussi elle qui a organisé et financé son exil aux États-Unis) qu'elle envisage d'épouser un Anglais qu'elle a rencontré dans le train en provenance de France : peut-être devrait-elle le suivre en Angleterre et y trouver un travail pour contribuer à l'effort de guerre ? Mais Vail parvient à l'en dissuader, en arguant que, quelle que soit la décision de Max, il serait cruel d'abandonner les enfants dans une situation aussi dangereuse et incertaine.

Une nuit, tout le monde (y compris le diplomate mexi-cain) sort danser. Ce fut, selon Peggy, « une folle soirée, pleine de scènes terribles ».

Peu de temps après, Leonora épouse son fiancé mexi-cain et entre à l'hôpital pour une opération du sein. Max lui rend souvent visite. Alors qu'elle les observe tous les deux silencieux dans la chambre, Peggy envie le bonheur amical qu'ils semblent partager. Dans ses mémoires, elle décrit comme elle est frappée par la beauté de Leonora et notamment par son « nez en trompette », celui même dont elle a rêvé toute sa vie et qu'elle tenta d'obtenir à Cincinnati. Alors que Leonora hésite entre revenir vers Max ou partir avec son mari mexicain, Kay Boyle par-vient à la convaincre que vivre avec Max impliquerait de reprendre ce rôle de femme servile et soumise dont Leonora ne veut plus – une résolution qui est un effet secondaire positif de ses tourments pendant l'incarcération de Max.

Dans une promiscuité forcée avec les adultes, les enfants sont à nouveau déconcertés d'entendre leur vie sexuelle devenir le sujet de la conversation de leurs parents. Sindbad est obsédé par la perte de sa virginité, mais sa mère l'exhorte à ne pas approcher les autochtones, car les maladies vénériennes sont répandues à Lisbonne. L'amie de Pegeen, Jacqueline Ventadour, qui voyage avec eux, est amoureuse de Sindbad, mais il restera fidèle à la jeune fille qu'il a courtisée l'été précédent au lac d'Annecy, Yvonne Kuhn, sœur de l'amoureux de Pegeen.

Une nuit, Peggy s'aventure à nager nue au large de la plage de Cascais[1]. Selon le récit de Peggy, Max est terrifié parce que si elle se noie, il n'aura plus personne pour l'aider à atteindre les États-Unis – ce qui n'est pas précisément le motif d'angoisse que l'on pourrait espérer d'un amant. Lorsqu'elle sort de l'eau, ils font l'amour sur les rochers – qui se révèlent être aussi les latrines du village. « Max adorait mon sens de l'inconvenance », conclut Peggy.

Un jour enfin, ils montent à bord du luxueux hydravion de la Pan Am, équipé de salons et d'une salle à manger. Mais, malheureusement, il manque une couchette pour l'un des invités de Peggy. Max se voit attribuer celle de

---

1. Ville et station balnéaire du Portugal, située sur le front de l'océan Atlantique, à 30 kilomètres à l'ouest de la capitale Lisbonne.

Pegeen, et la jeune fille doit partager celle de sa mère – ce qui donne lieu à une nouvelle lutte de pouvoir et d'espace vital entre Max, Peggy et Pegeen.

Tout au long de la relation de Peggy avec Max, le trio formé entre les amants et Pegeen se querelle souvent et durement. Ils passent leur temps à forger, détruire ou renforcer les alliances à deux contre un ou une, pour des enjeux d'amour et de considération. C'est un défi pour Max que de tenter d'ignorer la jeune beauté de la fille de sa maîtresse, tout comme il doit être difficile pour Pegeen, devenue une adolescente sensible, de voir sa mère s'humilier, tour à tour malmenant Max ou le suppliant de l'aimer. Il existe un élément d'érotisme, ou du moins de séduction refoulée, dans la relation entre Max et Pegeen. Il suffit de regarder la façon dont Pegeen est peinte, sous les traits d'une apparition belle et désolée, dans le tableau de Max baptisé *L'Anti-pape* – une œuvre qui blessera Peggy profondément.

Leur avion fait escale aux Açores pour le ravitaillement en carburant, puis de nouveau dans les Bermudes. Le 14 juillet 1941, Peggy (coiffée de l'énorme sombrero qu'elle a acheté aux Açores) et sa troupe atterrissent au terminal maritime de l'aéroport new-yorkais de LaGuardia. Avec eux à bord, se trouvait un scientifique qui importe une cargaison de rongeurs de laboratoire – ce qui inspire à un journal le titre « 8 cobayes débarquent par hydravion ».

Les nouveaux arrivants sont accueillis par Howard Putzel et le fils de Max, Jimmy, un peintre qui travaille alors au service courrier du musée d'Art moderne. De tous les portraits littéraires qui existent sur Peggy, celui que Jimmy Ernst lui a consacré dans ses mémoires, *A Not-So-Still Life*, compte parmi les plus amènes (avec le journal d'Emily Coleman et les lettres de Gregory Corso) sur ce qu'impliquait la fréquentation de Peggy.

Témoin des dommages causés par les relations de son père avec les femmes, Jimmy Ernst eut quelques raisons de compatir aux épreuves de Peggy. Sa propre mère, Lou Straus-Ernst, la première épouse de Max, a été abandonnée en Europe (en partie parce qu'elle refusa de faire croire à Varian Fry qu'elle et Ernst étaient encore mariés) et mourra à Auschwitz. Max est un père ni chaleureux ni attentif. Selon Peggy, Jimmy aurait voulu être proche de lui, mais sa présence incommodait Max, qui ne savait pas comment parler à son fils. Émue par le sort de Jimmy, Peggy « est devenue une sorte de belle-mère », se sentant plus à l'aise avec Jimmy qu'avec Max.

En regardant Peggy arriver à LaGuardia, Jimmy est frappé par sa vulnérabilité : « Son regard traversé d'angoisse était chaleureux et presque implorant, et ses mains osseuses, qui ne savaient que faire d'elles-mêmes, s'agitaient comme des ailes de moulins brisées, autour de sa coiffure noire en bataille. Quelque chose émanait d'elle qui me donnait envie de me jeter dans ses bras, avant même qu'elle n'eût ouvert la bouche. » Lorsqu'elle se met à parler, c'est pour confier à Jimmy plus qu'il ne voudrait en entendre sur les gens avec qui elle vient de voyager, et aussi pour demander à Max s'il a parlé à son fils – ou à quiconque – de leur relation intime. Max répond que non.

Voyageant avec un passeport allemand, Max Ernst est instantanément appréhendé par les agents d'immigration des États-Unis. Puisque le dernier ferry de la journée pour le centre de détention des étrangers est déjà parti, trois officiers escortent Max à son hôtel et, le lendemain, l'emmènent à Ellis Island, où il est incarcéré. Peggy appelle Jimmy pour le rassurer et lui dire que les personnes se portant garantes de son père – Nelson Rockefeller, Eleanor Roosevelt et John Hay Whitney – devraient rapidement obtenir sa libération. Le 17 juillet, Jimmy est appelé à témoigner lors d'une audience. Bien qu'il ne gagne que 60 dollars par mois au musée et qu'il vive dans un meublé, le fils est invité à signer un document stipulant qu'il s'engage à assumer la responsabilité financière de son père. Puis Max est déclaré libre de circuler.

Sur le ferry menant à Manhattan, Jimmy voit se regrouper autour de Max les artistes et les personnalités venues témoigner en sa faveur (inutilement, en fin de compte). Lui qui espérait voir son père abandonner son obsession pour les belles filles et se montrer loyal ou simplement gentil avec cette « femme timide et disgracieuse [qui] se sentait faire partie de [la] vie de Max », observe ce dernier et ses aficionados partir faire la fête à l'hôtel Belmont Plaza, sans se soucier le moins du monde de Peggy et de son propre fils, les laissant partager un taxi. « Face à ce manque flagrant de considération, Peggy tenta de conserver son calme par une respiration saccadée et des hochements de tête simultanés. » Une fois de plus, Peggy se met à discourir sur sa famille et ses enfants, tout en essayant de savoir si Max a parlé d'elle à Jimmy. *Avait-il donc dit quelque chose à son sujet ?*

Jimmy Ernst écrit : « J'étais déconcerté et bouleversé. Les personnes mûres et sophistiquées n'étaient pas censées apparaître aussi fragiles. [...] Peggy était-elle en train de me révéler quelque chose d'elle-même ? Une vie passée à ne jamais être sûre des motivations de quiconque pénétrait la sphère de ses émotions ? »

Pendant la fête, Peggy saisit le bras de Jimmy lorsque André Breton demande à Max quand Leonora arrivera. Max change aussitôt de sujet et se montre inhabituellement affectueux envers Peggy, pour tenter de clarifier la situation. Peggy montre qu'il n'y a pas de mal, qu'elle ne nourrit aucun grief, en offrant à Breton 200 dollars par mois pendant un an, pour l'aider à s'adapter à sa nouvelle vie américaine. Howard Putzel l'a rassurée au sujet de sa collection parvenue intacte à bon port et sur le point de passer la douane.

Avant de quitter la fête, Peggy demande à Jimmy d'être son secrétaire. Elle lui offre 25 dollars par semaine, en échange de quoi il fera le coursier, rédigera des courriers, tiendra à jour les registres et établira le catalogue de sa collection. Jimmy accepte, même s'il redoute une « implication inconsidérée » dans « les aléas de la vie personnelle de [s]on père ». Jimmy, écrit Peggy, « était efficace et brillant, il savait tout, je l'aimais et nous nous entendions à merveille ».

Au cours de ces premiers jours à New York, dans une relative insouciance, Peggy et Max visitent le musée d'Art moderne, qui consacre une exposition majeure à Picasso. Le directeur du musée, Alfred H. Barr Jr, qui deviendra un ami précieux de Peggy et un autre de ses conseillers, les emmène dans les réserves, où les peintures d'Ernst sont conservées, au milieu d'une collection « assez remarquable » d'œuvres « de Picasso, Braque, Léger, Dalí, Rousseau, Arp, Tanguy et Calder, mais rien de Kandinsky ».

Peggy réagit déjà en considérant le musée comme de la concurrence : « L'atmosphère qui régnait était celle d'un collège de filles. Pourtant, en même temps, on pensait plutôt à un yacht-club pour millionnaires. » Elle se montre encore moins charitable concernant la collection de son oncle : « Ce n'était vraiment pas sérieux. Il y avait quelques tableaux excellents, et près d'une centaine de Bauer », l'amant de la baronne Rebay, la maîtresse de Solomon Guggenheim. « Les murs retentissaient d'une musique de Bach, un contraste assez étrange. Le musée lui-même était un joli petit bâtiment, entièrement gâché par cette atroce façon de faire. » Peggy découvre également la collection privée de son oncle, un merveilleux assortiment de peintures modernes accrochées sur les murs de la suite qu'occupe Irène, la tante de Peggy, au Plaza Hotel.

Les craintes de Jimmy concernant le comportement de son père se révèlent bientôt justifiées. Leonora Carrington arrive à New York, apportant avec elle certaines œuvres de Max, mais leurs brèves retrouvailles sont une source de tourment pour Max – et pour Peggy. Celle-ci est effondrée lorsque ce dernier lui donne un livre mentionnant « Pour Peggy Guggenheim, de Max Ernst » – une dédicace qu'elle estime particulièrement froide, comparée aux déclarations d'amour et de passion éternels que Max compose pour Leonora. Les crises quotidiennes qui opposent Max à Peggy compliquent le travail de Jimmy, qui à ce moment-là se résume surtout à solliciter des donations de bienfaisance et de mécénat, tandis que sa patronne et lui s'appliquent à trouver un lieu pour exposer la collection.

L'attitude de Max, qui refuse d'arrêter de voir Leonora, insupporte Peggy au point qu'elle menace de le quitter, puis elle décide de partir avec lui visiter la côte Ouest, où elle envisage de trouver un site, loin de New York (et de Leonora), pour installer sa galerie-musée. En compagnie de Jimmy et Pegeen, ils s'envolent donc pour la Californie. À Santa Monica, logeant chez Hazel, la sœur de Peggy, ils déclinent toute une série de lieux qu'on leur propose : l'ancien manoir de Charles Laughton[1], une salle de bowling, des églises en briques de terre séchée, un garage qui appartenait autrefois à

---

1. Acteur et réalisateur britannique (1899-1962), il s'installe aux États-Unis dès 1932 et sera naturalisé américain en 1950.

Ramón Novarro[1]. Elle va également admirer la collection d'art moderne de Walter Arensberg, que Duchamp a contribué à constituer.

Finalement, Peggy juge que la Californie n'est pas un bon endroit pour elle et sa collection. Dans la voiture qui les ramène vers l'est, Peggy, Max et Pegeen se disputent constamment. En Arizona, mère et fille accomplissent un périple éprouvant jusqu'au ranch isolé où vit Emily Coleman, avec son cow-boy d'amant, dans une « saleté indescriptible ». Lorsque Peggy présente Max à Emily, les deux s'entendent bien, mais Emily confie à Peggy : « Je lui ai trop dévoilé mon insécurité, et cela m'a fait mal. J'avais espéré la cacher. »

Chaque fois qu'ils franchissent la frontière d'un nouvel État, Peggy envoie Jimmy s'enquérir des dispositions légales pour obtenir une licence de mariage – au grand dam de Max, qui n'a pas envie de se marier. Si Peggy plaisante sur sa réticence à « vivre dans le péché avec un étranger ennemi », elle s'est alarmée à LaGuardia et Ellis Island de son impuissance à aider Max – ressortissant allemand dans un pays sur le point de déclarer la guerre à l'Allemagne – et espère donc que le mariage lui procurera un ancrage plus sûr aux États-Unis.

De retour à New York, Peggy trouve un vaste et magnifique appartement, un triplex baptisé Hale House, sur la 51e Rue Est, surplombant l'East River. Il est assez

---

1. L'un des plus célèbres acteurs du cinéma muet, il fut comparé à Rudolph Valentino.

grand pour permettre à Peggy d'accrocher une partie de sa collection, à Max de s'aménager un atelier, à Pegeen d'avoir sa propre chambre et Jimmy une sorte de bureau – en réalité, une salle de bal sur deux étages, où ses obligations impliqueront le polissage quotidien de *L'Oiseau dans l'espace* de Brancusi. Presque immédiatement, Peggy organise des fêtes somptueuses, où sont régulièrement invités la stripteaseuse Gypsy Rose Lee, l'écrivain William Saroyan, et un large éventail d'artistes et de critiques d'art – deux d'entre eux, Charles Henri Ford et Nicolas Calas, se battront si violemment que Jimmy Ernst devra protéger les Kandinsky des éclaboussures de sang. Hale House devient un lieu de festivités plus ou moins perpétuelles, ce qui ne fait que creuser l'écart entre Max et Peggy.

> Nous n'avons jamais eu un moment de paix dans cet endroit merveilleux. La paix était la seule chose dont Max avait besoin pour peindre, et l'amour était la seule chose dont j'avais besoin pour vivre. Comme aucun d'entre nous ne donnait à l'autre ce qu'il désirait le plus, notre couple était voué à l'échec.

Tout au long de l'automne 1941 et l'hiver suivant, Peggy recherche un espace pour sa galerie, travaille sur le catalogue de sa collection et continue d'acheter les tableaux et les sculptures qui, selon elle, viennent combler des manques. Durant les sept mois qui s'écoulent entre son retour à New York et l'achèvement du catalogue,

Peggy s'engage dans une autre série d'achats presque aussi intense que celle qui a précédé son départ d'Europe : elle acquiert ainsi 70 nouvelles œuvres. Certaines sont achetées directement auprès des artistes, d'autres (dont plusieurs boîtes de Joseph Cornell) sont repérées grâce à Marcel Duchamp, et d'autres enfin sont acquises dans les galeries d'art moderne les plus actives à New York, dirigées par des marchands tels que Pierre Matisse, Julien Levy, Valentine Dudensing et Karl Nierendorf.

Selon Jimmy Ernst, les meilleures peintures achetées par Peggy au cours de cette période provenaient de l'atelier de Max, même si elles ont souvent causé à l'acheteuse autant de désarroi que de plaisir. Beaucoup des femmes qu'Ernst a représentées et installées dans ses paysages luxuriants et abondants ressemblent à Leonora, tandis que Peggy y figure rarement, ou alors sous l'apparence d'une ogresse. « Il était douloureux pour Peggy de se reconnaître ainsi et, lorsqu'on travaillait ensemble, dans des moments de calme, elle me posait plaintivement la question en espérant que je la détrompe, et je me contentais d'ignorer ses interrogations. » Max peint Leonora à plusieurs reprises, mais pas autant Peggy : « J'étais jalouse parce qu'il ne me peignait jamais. En vérité, cela me rendait profondément malheureuse et prouvait qu'il ne m'aimait pas. »

Les tensions à la maison vont crescendo. Peggy et Max se disputent sur une variété de sujets allant du compte bancaire de Pegeen à la sexualité de Sindbad, en passant par le prix des côtelettes d'agneau et les dépenses résultant de la passion de Max pour l'art amérindien – une fascination qui a débuté lors de leur traversée vers le Sud-Ouest. Ils se battent lorsque Max emprunte les ciseaux avec lesquels John Holms coupait sa barbe, ou à propos de qui conduira la voiture. Et Max se montre fréquemment infidèle, obligeant Jimmy à cacher les aventures de son père vis-à-vis de sa patronne, qui est aussi son amie et deviendra bientôt sa belle-mère.

Pendant des mois, Peggy et Max se querellent sur leur mariage éventuel. La question devient plus pressante au lendemain de l'attaque japonaise sur Pearl Harbor et de l'entrée en guerre des États-Unis : la plaisanterie de Peggy concernant son refus de vivre avec un étranger ennemi ne fait désormais plus rire personne. Lors d'une visite qu'elle rend à Washington à son cousin Harold Loeb, Peggy et Max sont mariés par un juge en Virginie. Mais si le mariage procure à Peggy un plus grand sentiment de sécurité, il n'empêchera pas les conflits du couple, des duels qui durent souvent plusieurs jours.

De nouvelles menaces surgissent lorsque Peggy envoie Max et Pegeen à Cape Cod, dans le Massachusetts, pour séjourner chez Matta et chercher une maison d'été à louer. Lorsque Peggy les rejoint, elle rejette leur choix de maison – juste au moment où le FBI débarque pour arrêter Max. Les agents spéciaux l'accusent d'être un espion et essaient de le persuader de dénoncer également Matta, qu'ils inculpent pour possession illégale (par un étranger) d'une radio à ondes courtes. Max est laissé en liberté, mais le FBI continue à le harceler jusqu'à le convoquer un jour à Boston pour une audience devant un tribunal. Ce n'est qu'après leur retour à New York, et après l'intervention du comptable de Peggy, que l'affaire est finalement classée sans suite.

Leonora appelle souvent Max pour lui demander de l'emmener déjeuner. Ensuite, ils se promènent ensemble dans la ville, ce que Max n'a jamais fait avec Peggy. Celle-ci raconte se sentir blessée chaque fois qu'elle le voit vêtu pour sortir, avec des vêtements qu'il ne porte jamais lorsqu'il peint à la maison. Lorsqu'il s'habille ainsi, c'est qu'il sort avec Leonora.

Pendant la plus grande partie de sa vie, Peggy s'est fait un principe de coucher avec qui bon lui semble, qu'il ou elle soit marié ou déjà dans une relation amoureuse. Maintenant, c'est son tour de souffrir parce que son mari est obnubilé par une autre femme. Un jour que Peggy, Max et Leonora déjeunent ensemble en compagnie de Djuna Barnes, cette dernière déclare voir pour la première fois Max manifester une émotion. La présence de Leonora l'humanise : « Le reste du temps, il était aussi froid qu'un serpent. »

Dans l'espoir de rendre Max jaloux, Peggy décide de mettre à l'épreuve l'attraction sexuelle qu'elle partage depuis longtemps avec Marcel Duchamp. Lors d'un dîner avec Max et Marcel, Peggy se soûle et enfile un imperméable transparent en soie verte : « Je me suis mise à pourchasser Marcel dans toute la maison. Max a demandé à Marcel s'il me désirait et, bien sûr, il a répondu non. Aggravant mon cas, j'ai proféré les plus terribles insultes contre Max. Max a commencé à me battre violemment, et Marcel l'a regardé faire avec son air de détachement habituel, sans intervenir aucunement. »

Le désarroi inspire à Peggy une prédilection pour des scénarios sexuels élaborés. Un soir, elle suggère à Max, Duchamp, John Cage et sa femme Xenia (le couple séjournant alors à Hale House) de se déshabiller et de jouer à voir qui résistera à l'excitation – un jeu qui se retourne contre elle lorsque Max contemple la charmante Xenia et perd... à la vue de tous.

Toujours à la recherche d'un espace d'exposition, Peggy progresse au moins sur son catalogue. Max a dessiné la couverture et Breton concocté une grande partie du texte. Laurence Vail traduit les contributions étrangères et, au-dessus de la photo d'un de ses collages, il ajoute une légende révélatrice et touchante : « J'avais l'habitude de jeter des bouteilles et maintenant je les décore. » On trouve dans l'ouvrage des préfaces signées Breton, Arp et Mondrian, un essai sur Brancusi par Alfred H. Barr Jr, un long texte sur le surréalisme par Max Ernst, des poèmes de Paul Éluard et Charles Henri Ford, et des commentaires remarquables sur l'art illustrant des peintures et sculptures d'artistes tels que Braque, Picasso, Kandinsky, Dalí, Calder, Delaunay, Miró, Gris, Carrington, Giacometti, Magritte, Man Ray, Malevitch, Archipenko, Duchamp, Klee et Henry Moore. Breton a eu l'idée de représenter chaque artiste non par un portrait complet, mais seulement par une photo de ses yeux. À « la grande surprise » de Peggy, *Art of This Century* devient plus une anthologie qu'un simple catalogue d'exposition. En le feuilletant, le lecteur est frappé par l'étendue et l'envergure de sa collection, par les chefs-d'œuvre qu'elle contient et par la pertinence de nombre de ses choix.

Dédié à la mémoire de John Ferrar Holms, l'ouvrage commence par trois épigraphes. Deux sont des citations d'Herbert Read : la première fait référence à un art « vital » et « expérimental », en cours de transition ; la seconde explique l'incapacité du fascisme à inspirer des œuvres majeures, car l'activité spirituelle requise pour la création artistique « ne fonctionne que dans la plénitude de la liberté ». Entre ces deux citations s'insère une autre d'Adolf Hitler, qui décrit la « corruption du goût » affichée dans l'art que les nazis qualifient de dégénéré, « des tableaux aux cieux verts et aux mers pourpres [...] des peintures qui ne peuvent s'expliquer que par une vision anormale ou une fraude délibérée de la part du peintre. S'ils peignent ainsi parce qu'ils voient vraiment les choses de cette façon, ces malheureux relèvent du ministère de l'Intérieur où l'on s'occupe de stérilisation, afin de les empêcher de transmettre leur fâcheux héritage ».

L'ironie est évidemment que le catalogue contient le type même d'art décrit par Hitler. Le choix de cette citation par Peggy suggère que Breton et elle sont parfaitement conscients de l'importance historique de la période et que le fait de sauver et d'exposer la collection de Peggy représente un geste politique. Dans ce contexte, la citation d'Hitler peut nous rappeler la satisfaction de Peggy à voir brûler l'hôtel qui excluait les juifs. Voilà une autre petite victoire remportée contre les ennemis des juifs, et de l'art en l'occurrence.

Début 1942, Peggy trouve enfin un espace d'exposition : deux lofts contigus au dernier étage d'un immeuble commercial situé au numéro 30 de la 57e Rue Ouest. Elle choisit de donner à la galerie le nom même du catalogue, *Art of This Century*. Et décide de créer une vitrine pour l'expression artistique telle qu'on n'en a jamais vu auparavant.

CHAPITRE XI

Art of This Century

Peu après son retour de Californie, Peggy rencontre Frederick Kiesler, architecte et politologue moderniste formé à Vienne, qui s'est taillé une belle réputation de concepteur d'expositions et de scénographies d'avant-garde en Autriche, à Berlin et à Paris. Aux États-Unis, il a dessiné la salle de théâtre de la 8ᵉ Rue, conçu des vitrines pour le magasin Saks de la 5ᵉ Avenue et donné des cours de scénographie à la Juilliard School of Art. Peggy et lui évoluent dans les mêmes milieux sociaux, et Kiesler est aimé et admiré des gens en lesquels Peggy a le plus confiance : Breton, Duchamp, Jimmy Ernst et Howard Putzel.

En février 1942, Peggy écrit à Kiesler pour lui demander conseil en vue de la conversion de « deux ateliers de tailleur en une galerie d'art ». Peu après, elle commande au scénographe des plans permettant de combiner les deux ateliers de la 57ᵉ Rue Ouest. Les croquis préliminaires de Kiesler attestent qu'Art of This Century sera quelque chose de nouveau, loin des espaces plus conventionnels qui inspirent si peu Peggy, comme le musée d'Art moderne et le musée de la Peinture non figurative de Solomon Guggenheim.

Presque dès le début, la relation professionnelle entre Peggy Guggenheim et Frederick Kiesler se révèle productive, pleine de passion et d'émulation, même s'ils se disputent souvent à propos des finances. Peggy soutient que les coûts de construction nécessaires pour exécuter les plans de Kiesler dépassent le budget spécifié et autorisé – alors que des éléments prouvent aujourd'hui que ce n'était pas le cas, que les estimations initiales et le bilan final furent plus proches que ce que Peggy prétendait.

Sous ces désaccords de surface couve un conflit plus profond. Peggy redoute que l'architecture de Kiesler n'éclipse sa collection, qu'on remarque et qu'on se souvienne de la galerie pour son contenant davantage que pour son contenu. Elle se console sur ce point dans ses mémoires : « Si les tableaux souffraient d'un décor trop spectaculaire et qui détournait l'attention du public, c'était en tout cas un décor merveilleux et qui a fait sensation. »

Heureusement, Peggy et Kiesler parviennent à se mettre d'accord sur certains éléments importants : Art of This Century combinera une installation permanente (en fait, un musée) avec une galerie présentant des expositions temporaires et des œuvres à vendre. Le maximum sera fait pour contourner l'approche traditionnelle en matière de présentation artistique. Le cadre reflétera l'esthétique et la théorie des diverses tendances représentées dans la collection de Peggy : le surréalisme, le dadaïsme, le cubisme et l'abstraction. Et cela changera la façon dont les gens considèrent l'art. Le visiteur ne sera plus un spectateur passif, mais le sujet d'une *expérience* cérébrale et sensorielle.

Les souvenirs de ceux qui ont visité Art of This Century confirment que même les photographies les plus révélatrices ou les descriptions les plus éloquentes ne peuvent rendre l'excitation de cette expérience. Tout comme il est impossible de savoir comment la galerie est apparue aux visiteurs qui (comme ceux qui eurent la chance d'assister à l'Exposition surréaliste de 1938 à Paris) n'avaient encore vu la moindre installation ou *happening* artistique. Nous ne pouvons qu'imaginer comment la réalisation de Kiesler a pu stupéfier les personnes dont les relations avec l'art se limitaient aux galeries et aux musées traditionnels, aux encadrements ornés, à l'éclairage tamisé, au papier peint raffiné – ces lieux où les chefs-d'œuvre sont accrochés de manière à donner aux visiteurs l'illusion de déambuler dans le salon d'un collectionneur fortuné.

La plupart des galeries à cette époque, comme celles d'aujourd'hui, étaient conçues pour suggérer que l'achat de peintures était soit le signe d'une appartenance sociale, soit le ticket d'entrée pour un milieu culturel privilégié. Dans le même temps, les galeries de centre-ville, dirigées par les artistes eux-mêmes, n'étaient pas destinées au *divertissement*, mais plutôt à la présentation sérieuse d'un nouveau mouvement esthétique.

Ce n'est qu'avec Art of This Century que les Américains ont commencé à se dire qu'une galerie pouvait être au croisement entre un parc d'attractions, une maison hantée et un café parisien. Voici l'avis de Robert Motherwell, dont les œuvres furent exposées dans l'espace temporaire d'Art of This Century, baptisé la Daylight Gallery[1] : « Il m'a semblé que l'intention était en partie de désacraliser l'art et de le traiter plus comme, disons, des livres dans la salle de lecture d'une bibliothèque. » En même temps, la galerie de Peggy est envisagée comme un temple de l'art moderne, consacré par Marcel Duchamp, André Breton, Max Ernst et leurs semblables.

Les deux ateliers ont été réunis et divisés en quatre espaces, qu'on pouvait aisément reconfigurer. Dans la salle de l'Art abstrait et cubiste, le sol est peint en bleu turquoise et les murs tendus d'une toile outremer fixée aux sol et plafond, de manière à laisser les murs se gonfler et onduler comme des voiles sombres. Les tableaux semblent dénués d'encadrement, mais en fait Kiesler a conçu des cadres si minces qu'on les dirait invisibles. Les toiles sont accrochées à hauteur des yeux sur des sangles reliées en forme de V à des poulies, donnant l'impression qu'elles flottent dans l'espace.

Dans la salle crépusculaire du Surréalisme, les murs sont incurvés et les peintures suspendues à des poteaux

---

1. Littéralement, la « Galerie du plein jour ».

La Salle des surréalistes, à la galerie Art of this Century (28-30, 57ᵉ Rue Ouest à New York, 1942), dessinée par l'architecte Frederick Kiesler.

épais munis de crochets, ce qui permet aux visiteurs de les pencher. Diffusé à intervalles réguliers, un enregistrement reproduit le son d'une locomotive traversant la pièce à pleine vitesse, et les projecteurs réglés par des minuteries permettent d'éclairer une première partie de la pièce, puis une autre, trois secondes plus tard. (Le système d'éclairage sera jugé trop perturbant et abandonné parce qu'il empêchait de bien voir les peintures.)

Dans la salle Cinétique, les tableaux de Klee sont placés le long d'un tapis roulant. En appuyant sur un bouton, on peut faire apparaître une nouvelle œuvre ou stopper le mécanisme. En tournant une grande roue, on découvre la *Boîte-en-valise* de Duchamp, qui contient des reproductions de son propre travail. Donnant sur la 57ᵉ Rue, les murs blancs de la Daylight Gallery accueillent des expositions mensuelles d'artistes bien connus ou moins établis.

Art of This Century ouvre ses portes le 20 octobre 1942. L'événement est organisé au profit de la Croix-Rouge américaine ; le ticket d'entrée est à 1 dollar. Alfred Barr a prêté à Jimmy Ernst la liste des contacts presse du musée d'Art moderne, qu'il faut absolument informer et inviter.

Peggy assiste à la fête prestigieuse vêtue d'une robe de soirée blanche spécialement réalisée pour l'occasion, portant des boucles d'oreilles différentes, l'une conçue par Alexander Calder et l'autre par Yves Tanguy – pour exprimer sa double allégeance à l'abstraction et au surréalisme.

Largement médiatisée, chaleureusement accueillie par la presse, le public et les critiques, la galerie devient incontournable, à la fois repère culturel et attraction touristique. Les célébrités s'arrangent pour venir la découvrir à la faveur d'expositions spéciales. À l'occasion de la « Semaine Harlem » célébrée dans toute la ville, un événement intitulé *Le Nègre dans la vie américaine*, organisé en partenariat avec le Conseil contre l'intolérance en Amérique, reçoit la visite de la Première Dame, Eleanor Roosevelt, qui fait l'éloge de l'exposition spéciale dans le journal, mais décline l'invitation de Peggy pour la salle surréaliste. « Elle a battu en retraite par la porte de côté, marchant en crabe et invoquant son ignorance de l'art moderne. » Vêtue de son costume folklorique, Frida Kahlo visite la galerie lorsque ses œuvres rejoignent une exposition de femmes artistes – un événement boycotté par Georgia O'Keeffe[1] qui viendra à la galerie exprimer son opposition.

Alfred Barr Jr et l'architecte Philip Johnson s'y arrêtent souvent. Mary McCarthy[2], une des nouvelles amies que Peggy a connues à New York, passe à l'occasion ; un jour, Robert Motherwell y amène Jean-Paul Sartre. La célèbre stripteaseuse Gypsy Rose Lee, qui selon Marius Bewley « venait comme une reine en visite », cultive des

1. Peintre américaine (1887-1986), considérée comme l'une des artistes modernistes majeures du XXᵉ siècle.
2. Romancière et journaliste américaine (1912-1989), critique littéraire et militante politique (adversaire du maccarthisme prôné par son cousin le sénateur).

liens étroits avec la galerie, en tant qu'amie de Peggy, collectionneuse d'art et artiste plasticienne y présentant son travail. Sa présence confère à Art of This Century une atmosphère affriolante, qui attire un certain public, peut-être moins intéressé par l'art moderne.

Peggy est enchantée par la popularité de sa galerie. Pourtant, même si Max a apprécié l'inauguration (« Il s'est comporté comme s'il était à la fois le prince régent et la plus grande vedette du musée »), ce bonheur au travail ne fait que souligner son infortune à Hale House. « Tout cela était passionnant et nouveau, et j'étais ravie de sortir de chez moi, où je ressentais partout que Max ne m'aimait pas. » Elle redoute de s'aliéner davantage son époux en « parlant sans cesse du musée, du nombre de visiteurs venus et du nombre de catalogues vendus ».

Et Peggy a des raisons d'être intarissable : les artistes commencent à utiliser la galerie pour leurs rencontres informelles et les étudiants en art en font un lieu de pèlerinage. « C'était notre lycée », se souvient le peintre Paul Resika. La galerie fait l'objet d'un reportage photo dans le *New York Times Magazine* et sert de décor pour des sujets publiés dans les magazines de mode *Vogue* et *Glamour*. Face à l'affluence, Peggy est souvent bien trop excitée pour rester dans son bureau et arpente les salles pour demander aux visiteurs ce qu'ils pensent des œuvres et des installations.

Comme souvent lorsque Peggy a l'impression que les dépenses s'emballent ou que les gens l'exploitent, elle est obsédée par les économies de bouts de chandelle.

Pendant un certain temps, elle impose un ticket d'entrée à 25 cents, une politique qu'elle entend appliquer strictement. Lorsque Jimmy Ernst fait entrer ses amis gratuitement, Peggy les attend dans le hall et compte le nombre de personnes qui entrent dans l'ascenseur, afin de vérifier qu'il correspond au montant collecté dans la caisse. Finalement, Howard Putzel la persuadera de laisser l'entrée libre.

Bien que moins utilisée et moins théâtrale que les autres espaces, la Daylight Gallery, avec ses expositions temporaires, produira le plus grand impact sur l'art américain, car c'est là qu'une toute nouvelle génération d'artistes trouve encouragements et reconnaissance. D'autant que Peggy agrandit sa collection en puisant dans ce vivier.

La première des 55 expositions qui s'y dérouleront présente une variété d'objets surréalistes, parmi lesquels une autre version (la première étant exposée en permanence dans la salle Cinétique) de la petite *valise*[1] que Marcel Duchamp a confectionnée à partir d'un bagage Vuitton et de matériaux qu'il avait expédiés d'Europe avec le déménagement des affaires personnelles de Peggy ; ainsi que des boîtes réalisées par Joseph Cornell et des bouteilles de vin peintes et décorées par Laurence Vail.

Au printemps 1943, la Daylight Gallery accueille la première exposition de collages des États-Unis. Elle présente des œuvres d'artistes établis – Arp, Picasso, Braque, Schwitters – et celles de talents émergents tels qu'Ad

---

1. En français dans le texte original.

Reinhardt, Robert Motherwell et Jackson Pollock. Avisée par James Johnson Sweeney du potentiel de Pollock, Peggy l'a encouragé à proposer son propre collage.

Pollock n'a encore jamais réalisé de collage, et l'expérience même ne le tente guère, mais une invitation à exposer à Art of This Century ne se refuse pas. Motherwell et lui travaillent alors ensemble et produisent des collages que Motherwell juge inspirants et utiles, mais qui ne retiennent l'intérêt ni de Pollock, ni des visiteurs, ni des critiques. Et Pollock finit par les détruire.

La première exposition personnelle de Pollock, en novembre 1943, est suivie par « Art surréaliste, naturel et démentiel », qui réunit des squelettes, du bois flotté, des racines d'arbres, des travaux réalisés par les patients d'un asile d'aliénés européen, des dessins, des aquarelles et de petites sculptures par Calder, Cornell, Klee, Masson, Motherwell et Pollock. S'ensuivent des expositions d'Hans Hofmann, de De Chirico et (en janvier 1945) de Mark Rothko, que Peggy hésitait à accueillir, jusqu'au jour où Howard Putzel l'invita dans son propre appartement où, pour la démonstration, il avait accroché un tableau de Rothko sur chacun des murs.

À l'automne 1944, un concert est organisé à Art of This Century pour marquer la première incursion de la galerie dans la production d'enregistrements musicaux. Sous une pochette dessinée par Max Ernst (une reproduction de la couverture du catalogue de la galerie-musée), l'album contient trois disques 78 tours de musique composée par Paul Bowles : sa *Sonate pour flûte et piano* occupe

cinq faces, et la sixième propose ses *Deux danses mexi-
caines*. Après avoir été présentés par le compositeur Virgil
Thomson, avec lequel Bowles a travaillé au *New York
Herald Tribune*, Peggy, Paul Bowles et son épouse, la
romancière et dramaturge extrêmement originale Jane
Bowles, sont devenus amis. Le projet initial était de réaliser d'autres productions musicales sous l'égide de la
galerie, mais l'expérience avec Bowles restera unique.

Parmi les aspects les plus remarquables d'Art of This
Century, il faut noter l'attention particulière réservée aux
artistes féminins. Durant toute l'existence de la galerie, il
y eut deux expositions collectives majeures et une dou-
zaine d'expositions personnelles d'œuvres réalisées par
des femmes. Encore plus extraordinaire pour l'époque
(comme ce serait le cas aujourd'hui), près de 40 % des
travaux présentés à la Daylight Gallery étaient l'œuvre
de femmes.

Il est tout aussi frappant de constater que peu de
ces femmes – dont Frida Kahlo, Louise Bourgeois et
Leonora Carrington – parvinrent à poursuivre des car-
rières et développer des réputations susceptibles de
rivaliser avec celles de leurs contemporains masculins.
La plupart d'entre elles – Alice Trumbull Mason, Dolia
Loriant, Pamela Bodin, Teresa Zarnower, Sonja Sekula
et bien d'autres – sont aujourd'hui largement retombées
dans l'oubli.

La première de ces expositions collectives s'appelait
« Exposition par 31 femmes ». Un jury, constitué de
Peggy, Breton, Duchamp, Max et Jimmy Ernst, James

Thrall Soby et James Johnson Sweeney, fut réuni pour choisir les artistes.

On reste songeur à l'idée que Peggy ait suggéré à son époux, notoirement infidèle, de visiter les ateliers des candidates et de contribuer à la sélection finale. Plus tard, Max s'amusera à raconter qu'il avait couché avec les trente et une, sauf Gypsy Rose Lee, qui n'était pas chez elle ce jour-là – contrairement à sa femme de ménage...

Peut-être que, quelque part, Peggy souhaitait que Max fît une rencontre susceptible de mettre fin à leur mariage malheureux – car c'est exactement ce qui se passa. Lorsque Max visite l'atelier de la jeune et belle Dorothea Tanning, ils tombent aussitôt amoureux.

Le livre de Tanning, intitulé *Birthday*, qui raconte sa vie avec Ernst, est on ne peut plus différent des mémoires de Peggy : il est écrit sur un mode artistique, poétique, farouchement romantique et plus ou moins sans humour. À sa lecture, on comprend pourquoi Tanning irrite tant Peggy, qu'elle désigne comme « la noble collectionneuse de peintures » qui sauva Max de l'Europe pour l'amener aux États-Unis. Et le récit de Tanning sur le début de sa relation amoureuse avec Max omet de mentionner qu'il était alors marié à ladite collectionneuse.

Tanning raconte comment Ernst, chargé donc de la sélection des artistes pour l'exposition « 31 Femmes », arrive dans son atelier par une neigeuse journée d'hiver. Étudiant un de ses autoportraits, il lui demande le titre du tableau ; lorsqu'elle répond qu'elle n'a pas encore songé à un titre, il dit, « comme ça, soudain », qu'elle devrait l'appeler *Birthday*, une idée qu'elle trouve aussitôt géniale. Remarquant la photo d'un échiquier, il lui demande si elle joue aux échecs et ils se mettent à jouer dans un silence absolu, jusqu'à ce que la nuit tombe et que cesse la neige. Tanning perd la partie.

Le lendemain, Max revient pour une nouvelle partie d'échecs et propose à Dorothea de lui prodiguer quelques conseils. « Donc, le lendemain et le jour encore d'après, nous nous sommes lancés dans des parties frénétiques. Les couches de nacre de cette vieille coquille, la bienséance, me gardaient guindée, assise sur ma chaise au lieu de faire l'étoile sur le lit. Encore une semaine et il vint s'installer. »

> Il ne lui fallut que quelques heures pour emménager. Il n'y avait pas à discuter. C'était comme s'il avait trouvé sa maison. Oui, je pense que j'étais sa maison. Il vivait en moi, il me décorait, il veillait sur moi. […] Je me disais surtout : c'est si juste et naturel ; la longue attente sur le quai de la gare était récompensée par l'arrivée du train, comme prévu, tôt ou tard.

De retour à Hale House, Peggy est de plus en plus désespérée. Car si le plan était bien de se faire remplacer, de trouver à Max une nouvelle amante, elle n'en dit jamais rien, préférant répéter en riant qu'elle aurait dû limiter l'exposition à 30 femmes, ou en consacrant les passages les plus venimeux de ses mémoires à sa rivale que, dans la première édition, Peggy appelle Annacia Tinning et qu'elle décrit comme « prétentieuse, ennuyeuse, stupide, vulgaire et habillée sans le moindre goût, mais [qui] était assez talentueuse et imitait la peinture de Max, ce qui le flattait énormément ».

Les premiers mois de 1943 sont particulièrement difficiles pour Peggy. Max la quitte pour Dorothea. Le concert de John Cage qu'elle espérait organiser à sa galerie se déroule finalement au musée d'Art moderne. Jimmy Ernst quitte Art of This Century pour aider sa petite amie Elenor à ouvrir la galerie Norlyst. Et Hale House est vendue, ce qui oblige Peggy à trouver une nouvelle maison – un changement qu'elle affirme bienvenu, tant leur appartement la déprime en lui rappelant sa vie avec Max.

Heureusement, au printemps, les choses commencent à s'améliorer. Peggy engage Howard Putzel pour diriger la galerie. Le jury réuni pour sélectionner les œuvres destinées au « Salon de printemps des jeunes artistes » a retenu une toile de Jackson Pollock. Celui-ci, ayant perdu son poste à la WPA[1] (de peintre sur bâches pour les immeubles de bureaux du gouvernement) et réduit à voler ses fournitures pour pouvoir continuer à créer, est devenu homme à tout faire, liftier et charpentier au musée de la Peinture non figurative, sous la direction de la dominatrice baronne Hilla Rebay.

---

1. La Work Projects Administration (ou WPA) est la principale agence fédérale instaurée dans le cadre du New Deal, sous la présidence de F.D. Roosevelt. Son programme contribua à la construction de nombreuses infrastructures publiques et lança divers projets artistiques.

Stenographic Figure, l'œuvre ambitieuse que Pollock soumet à la sélection, fait près de 1,70 mètre de long. Elle impressionne le jury, mais comme plus tard avec Mark Rothko, Peggy a besoin d'être convaincue. Et cette fois, c'est Piet Mondrian qui s'en charge. Jimmy Ernst se souvient : « Peggy rejoignit Mondrian, qui s'était figé devant les toiles de Pollock. "Assez horrible, vous ne trouvez pas ? Ce n'est pas de la peinture, n'est-ce pas ?" Mondrian ne daignant lui répondre, elle s'éloigna. Vingt minutes plus tard, il étudiait encore les mêmes peintures, se caressant le menton de la main droite, plongé dans ses pensées. Peggy s'adressa de nouveau à lui : "Il n'y a absolument aucune discipline. Ce jeune homme a de sérieux problèmes… Et la peinture est l'un d'entre eux." »

Mondrian continua à observer les Pollock, puis se tourna vers elle. « Je ne sais pas, Peggy. J'ai l'impression que c'est peut-être le tableau le plus excitant que j'ai vu depuis longtemps, ici ou en Europe.

Peggy est encouragée dans cette opinion par des artistes qu'elle respecte, par James Johnson Sweeney, sur l'avis duquel elle commence à compter (comme autrefois avec Herbert Read), et, après l'ouverture de l'exposition, par les réactions de la presse. Parmi les supporteurs, on compte Robert Coates qui, dans le *New Yorker*, qualifie Pollock de « véritable découverte ». Un article de l'hebdomadaire *The Nation*, signé par l'amie de Peggy, Jean

Connolly, note que la peinture de Pollock a laissé au jury « des étoiles dans les yeux ».

Peggy s'enthousiasmant davantage pour Pollock, elle commence à envisager de lui proposer une exposition solo. Lorsqu'elle confie à Sweeney son inquiétude que le travail de Pollock puisse paraître débridé et difficile à classifier, il lui répond que ce sont précisément les raisons pour lesquelles il faut le montrer. Dans ses mémoires, Peggy qualifie Pollock de « progéniture spirituelle » à laquelle Sweeney et elle ont donné naissance.

En juin 1943, la visite de Peggy à l'atelier de Pollock dans la 8e Rue Est manque de tourner au désastre. Pollock et sa future épouse, le peintre Lee Krasner, sont rentrés ivres du mariage d'un ami, dont Pollock était le témoin, et sont en train de cuver. Avant de s'effondrer de sommeil, ils ont laissé leur porte ouverte de crainte d'être en retard. Mais lorsque, réveillés, ils se précipitent, ils trouvent Peggy déjà en train de quitter les lieux, furieuse d'avoir dû patienter. Son irritation grandit lorsqu'elle constate que plusieurs des tableaux sont des œuvres de Krasner, qui pour Peggy, comme elle l'annonce aussitôt, ne présentent strictement aucun intérêt. Krasner ne lui pardonnera jamais.

Dès lors, les deux femmes entretiennent une relation conflictuelle, leurs désaccords tempérés seulement par leur fidélité et leur dévouement communs envers Pollock. En 1961, Peggy et celle qui est devenue la veuve de l'artiste s'affronteront dans un procès coûteux et impitoyable, motivé par l'inflation impressionnante de la cote de Pollock et par la conviction de Peggy que Pollock et Krasner l'ont lésée, au regard des termes des contrats liant l'artiste à Art of This Century, en dissimulant et détournant certaines peintures.

Peggy offre à Pollock le premier de ces contrats, peu après sa visite initiale à l'atelier, au printemps 1943. Elle accepte également de confier à l'artiste une exposition exclusive, dans le courant du mois de novembre suivant. Afin de lui permettre d'achever suffisamment de tableaux pour remplir la Daylight Gallery, elle lui verse 150 dollars par mois, une avance qui sera déduite de ses ventes (moins les frais de négociation) ; s'il ne vend pas assez de toiles pour compenser l'investissement de Peggy, elle pourra se rembourser en tableaux.

Cet accord permet à Pollock de quitter son travail d'appoint au musée de la Peinture non figurative. De son côté, Peggy est ravie de soustraire un jeune artiste talentueux aux griffes de la baronne Rebay – et de se venger de l'accusation d'avoir utilisé le nom de Guggenheim pour fricoter dans le monde de l'art. Peggy persiste à mépriser Rebay, qui de son côté ne cache pas son dédain pour Pollock : lors d'un rituel passage en revue des œuvres de ses employés, elle a déchiré un de ses dessins.

Si de tels arrangements sont plus fréquents aujourd'hui, c'était la première fois que Pollock ou quelqu'un de son cercle entendait parler de ce genre de mécénat, offert à un artiste moderniste. Pollock est enchanté, et Peggy est tout aussi heureuse de commencer une association avec

223

un peintre qu'elle qualifiera par la suite de sa découverte la plus importante.

Peggy a certes eu des relations sexuelles avec un certain nombre d'artistes dont elle exposa le travail, mais ce ne sera pas le cas avec Pollock. Ce peintre morose, rustaud et peu expressif semble ne pas lui avoir plu, elle qui fut toujours plus attirée par des hommes à la beauté conventionnelle, des beaux parleurs qui se vantent d'être plus cultivés qu'elle. Il est également possible que Peggy, après la lente, spectaculaire et blessante destruction de son mariage avec Max Ernst, soit tout simplement lasse et qu'elle ait décidé de laisser sa libido au repos.

À peu près à cette époque, Peggy se rapproche de Kenneth Macpherson, un collectionneur d'art écossais et homosexuel, avec lequel elle va développer un lien fort, ambigu et finalement décevant. Ils décident de vivre ensemble, et Peggy trouve un appartement qui lui convient sur la 61ᵉ Rue Est. Comme le duplex ne sera pas prêt avant l'automne, ils décident de passer l'été dans le Connecticut, près du lieu de vacances de Laurence Vail et Jean Connolly, au bord du lac Candlewood, « où les juifs n'étaient pas censés se baigner ». De toute évidence, certaines choses n'ont guère changé depuis l'époque où Peggy et ses proches se voyaient refusés dans les hôtels luxueux pratiquant la discrimination…

Incapable de persuader Macpherson de signer le bail à sa place, Peggy envoie Paul Bowles négocier le contrat de location. « La maison était horrible, mais le lac interdit aux juifs était agréable et juste en face de notre porte. » Elle apprécie la vie commune avec Macpherson, « excellent cuisinier et un homme d'intérieur très particulier… Pendant ces trois semaines, j'ai partagé la vie de Kenneth sous tous ses aspects, sauf un. Je n'ai jamais couché avec lui. Une nuit, il a accepté que je vienne dans son lit parce que j'étais terrifiée. Dans le jardin de Jean, nous étions tombés sur un cadavre ou quelqu'un de recroquevillé. C'était après une fête et nous rentrions à pied à la maison. Le temps d'aller chercher une lampe et de revenir, le corps avait disparu – mais pas son souvenir effrayant ».

À l'automne, Peggy et Macpherson emménagent dans leur duplex, dont la configuration bizarre ne fera rien pour simplifier leur relation : deux espaces de vie combinés ensemble, sur plusieurs niveaux, avec le minimum d'égard pour le confort et l'intimité de ses habitants – notamment une cuisine et des salles de bain difficilement accessibles. Au début, Peggy parle de Macpherson comme de son amant. Elle apprécie l'attention qu'il lui accorde et l'effort qu'il met à vouloir l'aider à paraître plus jeune, plus chic et plus élégante. Dans la première version de ses mémoires, le chapitre consacré à leur vie commune est intitulé « Paix ».

> À cette époque, Kenneth et moi étions très heureux ensemble. Il dépendait de moi et aurait été tout à fait perdu sans moi. Chaque fois qu'il avait l'impression de me perdre, il déployait tout son charme pour me récupérer. […] Je pense vraiment qu'à cette époque, Kenneth me considérait à moitié comme son épouse.

À moitié ? Plutôt moins que cela, comme le montrera la suite. D'autres passages dans les mémoires peuvent mettre la puce à l'oreille du lecteur. « À cause de la grande influence de Kenneth sur moi, j'ai soudain complètement changé de style de vêtements. J'ai essayé d'arrêter d'avoir l'air d'une pute et j'ai acheté des vêtements chers. [...] Il détestait tellement le rouge, pourtant ma couleur préférée, que j'ai entièrement renoncé à porter tout ce qui pouvait s'en approcher. J'ai acheté un petit costume bleu avec des boutons, qu'il adorait parce qu'il disait que dedans, je ressemblais à un petit garçon. Il aimait ce qu'il appelait mon côté *gamin*[1]. »

Jean Connolly, qui a été mariée avec le poète britannique Cyril Connolly et qui épousera bientôt Laurence Vail, ne se contente pas d'emménager chez Peggy, mais va jusqu'à dormir dans son lit, ce qui dérange Kenneth. « Même s'il devait savoir que notre relation était parfaitement innocente, je sentais qu'il n'acceptait pas sa présence. »

Les mémoires de Peggy ne sont jamais aussi intimes ou sulfureux que lorsqu'elle décrit la fin d'un mariage ou d'une relation amoureuse, et tel est le cas quand elle raconte la manière dont les choses ont dégénéré avec Macpherson. Une nuit, Peggy insiste pour rester dormir avec Kenneth et l'intéressé lui demande alors comment elle peut seulement songer à une chose pareille, sachant que David arrive le lendemain. David ?

---

1. En français dans le texte original.

Peggy a rendu visite à David Larkins – l'amant de Kenneth – lors d'un voyage pour retrouver Sindbad, qui était affecté à la même base militaire que lui, à Tampa. Larkins était dans un hôpital de l'armée, suspendu à des poulies, en train de se remettre d'un accident.

> J'ai tout raconté [à Larkins], avec le maximum de détails, à propos du duplex et de nos plans pour l'été, très loin de m'imaginer qu'il allait devenir l'instrument du mal et de la destruction dans mon existence. [...] Malheureusement, il était secrètement amoureux de Kenneth, lui aussi. [...] Plus tard, je lui ai écrit du Connecticut, sans avoir la moindre idée du tort qu'il allait me causer.

Peu après son arrivée à New York, Larkins devient un résident permanent dans le duplex et une source de conflits entre Kenneth et Peggy. À l'issue d'une soirée particulièrement éprouvante, David tente de séduire Peggy, mais quelques nuits plus tard, il l'informe qu'il est incapable de ressentir un désir réel pour une femme parce qu'il préfère les enfants de chœur.

La vérité sur la sexualité de Macpherson devenant de plus en plus difficile à ignorer, Peggy est obligée de réviser ses perspectives au sujet de leur avenir commun. Kenneth impose à Peggy de ne jamais utiliser le mot homosexuel ou ses versions argotiques, et de désigner ses amants et lui-même selon le terme d'« Athéniens » – une expression que Peggy continuera à utiliser avec les nombreux amis athéniens qu'elle se fera plus tard à Venise. En attendant, récalcitrante et de plus en plus frustrée, Peggy commence à parler de Kenneth comme de son « ami lesbien ». Un soir, devant ses amis, Macpherson affirme que Peggy lui a fait signer le bail pour éviter toute responsabilité. Il déclare qu'il déteste sa vie dans cet appartement et regrette de s'y être installé. Peggy et Kenneth ont prévu de fêter leur pendaison de crémaillère, mais ce dernier déclare maintenant qu'il donnera cette fête tout seul. Le nom de Peggy n'apparaîtra même pas sur l'invitation.

Un autre soir, à minuit, la sonnette de Peggy retentit. Pegeen est « enfin rentrée du Mexique. Elle était vêtue d'un imperméable et portait un petit sac, ayant perdu tout le reste à la frontière. On aurait dit un bébé, c'était vraiment pathétique. Nous lui avons fait visiter le duplex, qu'elle nous avait tellement encouragés à prendre au printemps précédent, et la chambre que j'avais aménagée pour elle. Elle était heureuse d'être à la maison, mais plutôt perdue dans ce nouveau cadre. Les complications ont commencé aussitôt. Elle était jalouse de Kenneth et il était jaloux d'elle ». Peggy raconte ensuite que sa fille l'accompagne lorsqu'elle monte rejoindre Kenneth. Ce qui, d'après Peggy, « était tout à fait naturel, il n'y avait rien pour elle en bas, puisque à cette époque je passais tout mon temps avec Kenneth à son étage. Quand elle m'a suivie, je l'ai invitée dans l'appartement de Kenneth, et il s'est agacé de me voir prendre de telles libertés ».

Ayant détesté le lycée et refusant d'aller à l'université, Pegeen avait quitté Manhattan pour le Mexique. Pendant un séjour sur un yacht appartenant à Errol Flynn (dont les relations avec de jeunes filles mineures l'avaient mis en délicatesse avec la justice), elle contracta une maladie vénérienne. Par la suite, elle tomba amoureuse d'un plongeur mexicain du nom de Chango et s'installa avec lui et sa famille à Acapulco. Sa situation était si instable et sa santé mentale et physique si fragile que Leonora Carrington, qui vivait au Mexique, s'en inquiéta, et fut dépêchée par Laurence Vail à Acapulco pour ramener Pegeen à la maison.

Après avoir connu plusieurs foyers détruits, dès que ses parents trouvaient de nouveaux partenaires ; après avoir vu sa mère épuiser une série d'amants mal assortis et son père être abandonné par sa belle-mère ; après avoir été ballottée par la relation tempétueuse de Peggy avec Max Ernst, Pegeen est devenue une jeune femme timide, blessée et instable, soumise à des crises d'abattement et de dégoût de soi. Pour son malheur (ou du moins l'un d'entre eux), elle s'est mise dans de graves ennuis juste au moment où sa mère doit gérer sa relation moribonde avec Kenneth Macpherson et où, d'autre part, elle est extrêmement occupée avec la galerie – qui lui fait vivre les moments les plus importants et excitants de sa carrière.

Peggy est reconnaissante envers Vail, comme souvent, d'être intervenu et d'avoir assumé ses responsabilités de père. Quant à elle, bien que voyant Pegeen souvent déprimée, elle choisit de supposer que, dans la mesure où sa fille est retournée auprès d'elle, qu'elle travaille à développer sa peinture et qu'elle apprend à cohabiter avec Kenneth, ses problèmes vont disparaître et qu'elle va cesser d'annoncer qu'elle veut retourner à Acapulco et épouser Chango.

En décembre 1944, Pegeen épouse secrètement Jean Hélion, le fringant peintre français dont Peggy a exposé les toiles abstraites peu après l'ouverture d'Art of This Century. L'exposition fut un événement en partie en raison de la conférence publique que donna Hélion pour raconter son évasion d'un camp de prisonniers de guerre allemand et son périple à travers une Europe ravagée par la guerre. Au moment de leur mariage, Pegeen a 19 ans et Hélion 40 ans. Le couple déménage rapidement en France, où ils auront trois fils (les deux du couple et celui que Pegeen aura avec un autre homme et qu'Hélion adoptera), avant de divorcer en 1958.

CHAPITRE XII

Pollock

Pollock est immédiatement devenu le pivot d'Art of This Century. De [...] 1943, jusqu'à mon départ d'Amérique en 1947, je me suis consacrée à Pollock.

Peggy comprend qu'elle court un risque à consacrer tant d'argent, de temps et d'énergie à favoriser la carrière de Jackson Pollock. Ses tableaux abstraits continuent de déranger nombre d'acheteurs qui fréquentent la galerie, et sa personnalité brutale et intransigeante contribue peu à les rassurer, les amuser ou les séduire. De par son caractère, il est incapable de socialiser avec des collectionneurs et mécènes potentiels – une aptitude pourtant essentielle pour les artistes, hier comme aujourd'hui.

Charmer les riches vient naturellement à Robert Motherwell, qui a été formé à Harvard. Mais c'est bien plus compliqué pour le timide et alcoolique Pollock qui, quand il a bu, peut devenir « désagréable, pour ne pas dire diabolique. […] Il était comme un animal piégé qui n'aurait jamais dû quitter le Wyoming, où il est né ». Néanmoins, Peggy se sent assez confiante et optimiste pour écrire à Grace McCann Morley, la directrice du musée d'Art de San Francisco, pour l'informer qu'elle espère lancer une exposition itinérante des œuvres de Pollock à travers le pays. Elle s'offre même une publicité dans *Art Digest*, où elle qualifie Pollock de « l'un des peintres américains les plus impressionnants et les plus intéressants ».

Peggy engage James Johnson Sweeney pour écrire le texte du catalogue qui accompagne la première exposition solo de Pollock. Le commissaire parle d'un talent « volcanique… généreux… explosif » et juge l'artiste courageux dans sa détermination à creuser son sillon sans se soucier de la manière dont son travail sera reçu par le public : « Son talent se répand dans une prodigalité minérale qui n'a pas encore cristallisé. »

Le vernissage du 9 novembre attire peu de monde. Joseph Cornell se trouve parmi les rares invités à répondre présent. Pollock est tellement soûl que, pour le descendre au rez-de-chaussée, on est obligé de l'asseoir sur une chaise et de le déposer dans l'ascenseur.

Mais l'exposition reçoit plus d'attention médiatique que toutes les précédentes d'Art of This Century. Robert Coates réitère dans le *New Yorker* sa conviction que Pollock apporte quelque chose de vraiment *nouveau* et dans *The Nation*, Clement Greenberg, l'un des plus fervents partisans de Pollock, écrit que les plus petites toiles en particulier sont parmi « les œuvres abstraites les plus puissantes que j'ai jamais vues de la part d'un artiste américain ». Pour Robert Motherwell, Pollock représente « l'un des espoirs de la jeune génération. Ils ne sont pas plus de trois dans ce cas-là ».

Aucun des tableaux ne se vend – seuls trois dessins sont achetés par des amis de Peggy, dont Kenneth Macpherson, qui a aidé à l'accrochage.

Trente ans après la publication de la première version de ses mémoires, Peggy les augmente en ajoutant un chapitre sur l'installation de la toile murale de Pollock dans le vestibule de son appartement de la 61ᵉ Rue. Cette commande représentait un coup spectaculaire : faire décorer son couloir par le jeune peintre le plus important du moment et, dans le même temps, lui permettre de libérer quelque chose en lui – notamment peut-être par l'effet positif de se confronter physiquement à une œuvre de grande dimension. Peggy raconte l'anecdote impressionnante (du moins apocryphe) de Pollock restant bloqué, puis se mettant à peindre la fresque en trois heures. Elle décrit la difficile installation : le tableau était trop grand pour l'emplacement, mais le problème fut réglé, à la dernière minute, par Duchamp et un ouvrier. Sans oublier la suite : Pollock s'est tellement enivré qu'il déambule nu dans la soirée organisée par Jean Connolly. Selon une autre version notoire et peut-être fantaisiste (Peggy l'aurait forcément racontée si c'était vrai), Pollock aurait traversé le salon pour aller uriner dans la cheminée.

Pour Peggy, l'essentiel n'est ni l'innovation artistique de Pollock, ni son mauvais comportement, mais plutôt le fait que cette œuvre importante d'art moderne irrite Kenneth. « J'ai aimé la toile murale, mais Kenneth ne pouvait pas la supporter. Il ne m'a jamais permis de l'éclairer, disant que le système d'éclairage que j'avais spécialement installé faisait sauter tous les fusibles ; on ne pouvait donc la voir qu'en journée ou lorsque je descendais pour allumer en douce. » Dans une lettre à Emily Coleman, Peggy écrit à propos de la fresque que « tout le monde l'aime, sauf Kenneth. Dommage pour lui, car il ne peut l'éviter chaque fois qu'il entre ou qu'il sort ».

Peu après la première exposition de Pollock à Art of This Century, le musée d'Art moderne lui achète un tableau, *La Louve*, pour 600 dollars, conformément à une option posée sur l'œuvre avant le vernissage. Et au cours des années suivantes, plusieurs tableaux de Pollock trouveront leur place dans des musées et des collections privées.

Malgré les ventes médiocres de cette première tentative, Peggy, encouragée par James Johnson Sweeney et le peintre Hans Hofmann, prolonge le contrat de Pollock pour une seconde année, et sa deuxième exposition à Art of This Century ouvre le 19 mars 1945, pour une durée d'un mois. Cette fois, Pollock a travaillé à un rythme beaucoup plus soutenu, ce qui n'a pas empêché le report de la date d'ouverture initiale parce qu'il n'avait pas fini assez de tableaux. Le vernissage connaît un meilleur succès que l'édition précédente, et de nombreux invités

Peggy Guggenheim et Jackson Pollock devant la fresque Mural
*de Pollock (1943) dans le vestibule du premier étage de la résidence
de Peggy au 155, 61ᵉ Rue Est, à New York (vers 1946). Partiellement
visible au premier plan, une sculpture non identifiée de David Hare.*

profitent de l'invitation (offerte dans le catalogue) à venir découvrir la toile murale dans le vestibule de Peggy, ouvert au public pendant trois heures cet après-midi-là. L'exposition présente treize peintures, ainsi que des dessins et des gouaches. Le collectionneur britannique Dwight Ripley et le musée d'Art de San Francisco acquièrent chacun une toile et, au cours de l'année suivante, d'autres peintures rejoignent le Norton Museum de Palm Beach, en Floride, et la Galerie nationale d'Australie, à Canberra. Selon les termes de son contrat, Peggy a droit à deux peintures ; elle fait don de l'une à l'université de l'Iowa en 1947 et l'autre, intitulée *Deux*, intègre sa collection. Une fois de plus, la presse réagit de manière encourageante, positivement pour la plupart, même si le critique du *New York Times* écrit que le travail de Pollock ressemble à « une explosion dans une usine à galets ».

À l'automne, Pollock et Lee Krasner doivent se marier. Peggy montre peu d'enthousiasme à cette perspective : « Pourquoi vous mariez-vous ? Vous êtes déjà bien assez mariés comme ça. » Une réaction certes compréhensible, mais plutôt malvenue de la part d'une femme qui s'est mariée à deux reprises. Prétextant un déjeuner avec un collectionneur, Peggy échappera à la cérémonie.

Dans le but d'apaiser l'alcoolisme et la dépression de Pollock, et en espérant qu'il trouve plus de facilité à travailler à la campagne, Krasner le persuade de déménager dans une maison qu'ils ont trouvée à Springs, sur Long Island, près d'East Hampton. Ne pouvant régler les 2 000 dollars réclamés en acompte, Krasner sollicite une Peggy grippée. Celle-ci répond qu'elle tient une galerie, pas une banque, et suggère à Krasner de trouver un emploi – ou de s'adresser à son concurrent, le marchand d'art Sam Kootz. Lorsque Krasner prend Peggy au mot et que Kootz accepte, à condition que Pollock rejoigne sa galerie, Peggy est furieuse – mais Krasner réussit à la persuader de trouver les 2 000 dollars et de doubler les mensualités de Pollock.

Mars 1946 est un mois mouvementé pour Peggy. La première édition d'*Out of This Century* est publiée et annoncée dans *View Magazine* comme « le portrait révélateur d'une femme qui n'a jamais appris à vivre prudemment » – une remarque qui vise à suggérer un contenu scandaleux. Peggy va passer une bonne partie de ce printemps à en gérer les conséquences. L'un des problèmes auxquels elle est confrontée est une erreur de son éditeur, qui a attribué le design de sa galerie à Berenice Abbott, qui est simplement l'auteur de la photo. Frederick Kiesler exige qu'un erratum soit inclus dans chaque exemplaire du livre et, lors d'une interview radio sur WNYC[1], Peggy s'efforce de rectifier l'erreur.

Accaparée par le battage autour de son livre, Peggy n'a plus guère d'énergie à consacrer à l'exposition des œuvres de Pegeen. Celle-ci coïncide avec la publication d'*Out of*

---

1. Station de radio américaine, non commerciale et de service public, diffusant (aujourd'hui encore) ses programmes sur la ville de New York et son agglomération.

This Century, qui comprend non seulement des portraits sans concession du père et de la belle-mère de Pegeen, mais aussi des révélations intimes sur les avortements et la vie sexuelle de sa mère. Pour cette première expérience en solo (elle a déjà participé à des expositions collectives d'artistes féminines), la jeune peintre vend deux peintures et deux gouaches. Les critiques louent la sophistication primitive (à moins qu'il ne s'agisse de primitivisme sophistiqué ?) de son travail, qui reçoit un accueil plus favorable que les « abstractions biomorphiques » de Peter Busa, l'élève de Pollock, dont les peintures sont montrées en même temps que celles de Pegeen.

À la fin du mois de mars, les tableaux de Pegeen sont décrochés de la Daylight Gallery, remplacés par ceux de Jackson Pollock. Peu après, Pegeen déménage pour Paris avec Jean Hélion.

La troisième exposition solo de Pollock, inaugurée le 2 avril, présente onze peintures à l'huile et huit détrempes[1], dont la plupart ont été réalisées avant son déménagement à Springs avec Krasner. Ses œuvres continuent à se vendre : onze toiles sont achetées cette année-là. Toutefois, le produit de ces ventes ne parvient pas à rembourser l'avance de Peggy qui, selon les termes de son contrat, est habilitée à se payer en nature. Elle acquiert ainsi tant de peintures qu'elle en distribue quelques-unes, avant de retourner en Europe. Plus tard, elle regrettera profondément ces élans de générosité.

---

1. Réalisées avec de la peinture délayée dans de la colle et de l'eau.

Une collectionneuse d'art européen, Lydia Winston Malbin, nous offre un aperçu de Peggy au travail tandis qu'elle se remémore le zèle avec lequel celle-ci l'avait convaincue d'acquérir un Pollock au lieu du Masson qu'elle était venue acheter à la galerie.

> Peggy était à son bureau et je lui ai demandé si elle avait des dessins de Masson. [...] Nous avons parlé un peu et Peggy m'a demandé si j'avais déjà entendu parler de Jackson Pollock. C'était, pour autant que je m'en souvienne, un nom nouveau pour moi, et je fus impressionnée par la sincérité et l'enthousiasme de Peggy. Nous sommes allées dans sa réserve et elle a sorti des toiles de Pollock. Je fus immédiatement intéressée. Il y avait une sorte de structure sans forme, insaisissable, un enchevêtrement de noir et de couleurs vives. [...] J'y ai repensé et je suis retournée à la galerie de Peggy. J'ai acheté le *Moon Vessel* en 1945 pour 275 dollars et je l'ai ramené chez moi par le train. Certains de mes amis se sont montrés si critiques que je ne l'ai pas accroché tout de suite avec le reste de ma collection.

Même si les expositions suivantes ne susciteront jamais tout à fait le même enthousiasme, la réputation de Pollock est désormais bien établie.

Cet été-là, Peggy commence à songer à retourner en Europe. Pegeen est installée avec Jean Hélion à Paris, où Sindbad travaille également comme interprète militaire. Après avoir épousé Jean Connolly, Laurence Vail a regagné lui aussi la France, pour reprendre possession

239

de ses maisons à Megève et de l'appartement parisien de son père. En juin, Peggy part en Angleterre dans l'espoir de retrouver certains biens qu'elle avait laissés derrière elle en quittant Londres avant la guerre. À Paris, elle rencontre son amie Mary McCarthy et son mari, Bowden Broadwater, qui la persuadent de les accompagner à Venise.

Peggy a connu McCarthy à Cape Cod, quand Max et elle y passèrent l'été 1942. Cette année-là, le livre de McCarthy *The Company She Keeps* lui vaut d'être reconnue et (grâce à son portrait sincère d'une jeune femme moderne et indépendante) connue. Si elles n'ont pas les mêmes origines – McCarthy est une Irlandaise catholique de Seattle, dont les parents sont morts au cours de l'épidémie de grippe de 1918 et qui a été élevée par des parents proches –, elles partagent le sens de l'humour WASP[1], un intérêt pour la littérature et l'art, et une détermination féroce à vivre sans se soucier de l'opinion de la société. Toutes deux ont pris des amants à leur gré, sont passées d'un homme à l'autre et se sont engagées dans des relations amoureuses avec des hommes à la sexualité ambiguë.

Peggy prend le train pour Venise avec McCarthy et Broadwater, un voyage pénible qui s'interrompt à Lausanne lorsque McCarthy est devenue trop malade

---

1. *White Anglo-Saxon Protestant*, l'archétype des familles anglo-saxonnes descendant des immigrants protestants d'Europe du Nord et de l'Ouest, dont la pensée et le mode de vie ont structuré une partie de la nation américaine depuis les premières colonies anglaises du XVIIᵉ siècle.

pour continuer et doit partir en convalescence dans un hôpital suisse. Les trois amis se retrouvent finalement à Venise, qui deviendra le décor de la nouvelle de McCarthy *La Cicérone*, connue pour brosser un portrait de Peggy, à peine masquée sous les traits d'une voyageuse américaine baptisée Polly Herkimer Grabbe.

Dans la nouvelle, Polly est l'héritière d'un marchand de bulbes de tulipes, qui ne collectionne pas de l'art moderne mais de la statuaire de jardin, et qui change de carrière pour devenir « imprésario en architecture moderne » (une appellation bien obscure), sans rien accomplir de remarquable. « Elle s'imaginait avoir quitté l'Amérique par frustration culturelle ; à ses yeux, elle était toujours en rébellion contre une civilisation commerciale. Elle espérait laisser une trace dans les mémoires grâce à ses expériences architecturales, à son mécénat artistique, aux défis qu'elle se lançait pour affirmer sa liberté individuelle, et elle se flattait qu'en Europe, cet aspect de sa personnalité était pris au sérieux. » On porte contre Polly Grabbe les accusations habituelles de pingrerie (ou d'une passion invétérée pour l'argent) : « L'intelligence de Miss Grabbe était superficielle. [...] Ses calculs, par contre, étaient rigoureux ; aucun entrepreneur ou mari n'aurait jamais pu gonfler ses factures ; elle chaussait toujours ses lunettes pour vérifier l'addition. » Et McCarthy se montre méprisante envers la fortune de Polly/Peggy : « Ne manquant pas d'argent, elle manquait de véritable curiosité ; elle ne s'intéressait pas franchement au reste du monde. [...] Ce n'était pas, malgré les apparences, une femme aux convictions très fortes. [...] Son argent l'avait rendue étriquée ; elle était habituée à un cercle mercantile et ne s'imaginait pas le moins du monde qu'à l'extérieur, des amoureux manifestaient de l'affection, des amis retournaient les actes de gentillesse et des maris ne demandaient pas de pension ou ne ramenaient pas leur maîtresse à la maison. »

Les remarques psychologiques concernant Peggy sont parfois pertinentes : « Mlle Grabbe semblait s'être brûlée et desséchée à force de s'exposer, gercée et endurcie par le vent des rebuffades et de l'échec. [...] Narcisse infatigable, elle adaptait rapidement son ton à la comédie si elle se rendait compte que le monde souriait ; elle était toujours la deuxième à rire aux bouffonneries de son esprit. » La vision de Peggy par McCarthy est décidément sarcastique : « Mlle Grabbe, malgré son audace, n'était pas une femme originale, et sa hardiesse, en fait, consistait à tout prendre au pied de la lettre. Elle faisait l'amour en Europe parce que c'était à la mode. »

Au milieu de ce portrait d'une femme stupide et débauchée, jaillissent quelques éclairs occasionnels d'admiration, en particulier pour le courage de Polly et sa capacité à « tirer sa révérence pour se tourner vers la prochaine nouveauté », ce qui dans le cas de Peggy/Polly signifie commencer une nouvelle vie à Venise, où elle s'est mise en quête de trouver un palais pour poser ses valises : « Son voyage en Italie [...] avait le caractère d'un adieu et d'un nouveau départ, et sa suite d'hôtel [...] ressemblait à une succursale nouvellement ouverte, mais pas encore pleinement opérationnelle. » Contrairement au couple de touristes américains au centre de l'histoire, Polly est une « exploratrice ».

Durant ce voyage à Venise, Peggy entre déjà en contact avec des artistes et des agents immobiliers, réfléchissant au moyen de s'installer. Orientée vers le Café All'Angelo, où peintres et sculpteurs locaux ont coutume de se rassembler, elle se rend compte qu'elle sera bien accueillie par le milieu artistique vénitien, désespérément en manque d'une dose d'énergie et de créativité, d'une ouverture à l'international et de devises étrangères.

À l'automne, Peggy rentre à New York, mais cette fois elle sait, et fait savoir, que son retour n'est que provisoire. Il n'y a plus grand-chose susceptible de la retenir aux États-Unis. Elle s'est lassée de sa galerie, ne supportant plus d'y consacrer autant de temps et d'énergie. En octobre, son divorce de Max Ernst est devenu officiel et, trois jours plus tard, Max et Dorothea se marient à Los Angeles. Marius Bewley quitte la galerie, remplacé par Tom Dunn, et Peggy commence à prendre des dispositions pour faire donation de ses œuvres à des musées privés : l'université de l'Iowa, le musée d'Art de San Francisco et la bibliothèque de l'université de Yale. Au cours des douze prochaines années, elle réalisera plus de 150 donations.

Peu encline à garder secrets ses projets, Peggy crée un malaise considérable lorsqu'elle annonce qu'elle n'est revenue à New York que pour mettre ses affaires en ordre. De nombreux artistes ont fini par dépendre d'elle, et beaucoup d'autres espéraient bien profiter de la même aubaine. Leur avenir paraît beaucoup plus incertain, maintenant qu'ils savent que Peggy ne sera plus là pour promouvoir leur travail.

Jackson Pollock, dont les revenus de peintre sont encore insuffisants pour apaiser ses inquiétudes au sujet du règlement de l'hypothèque sur sa maison de Springs, lui demande une dernière exposition avant la fermeture d'Art of This Century. Cette quatrième et ultime présentation de Pollock à la galerie de Peggy ouvre ses portes le 14 janvier 1947 ; elle devait s'achever le 1ᵉʳ février, mais sera prolongée d'une semaine.

L'exposition contient quinze tableaux majeurs, exécutés depuis le déménagement de Pollock et Lee Krasner à Long Island. Les premiers ont été réalisés dans une chambre à l'étage, les suivants dans la grange que Jackson a aménagée en atelier – et c'est là qu'il apparaît en pleine action sur les photographies historiques du magazine *Life* et les films et photos d'Hans Namuth. Les peintures d'*Accabonac Creek* sont des toiles lumineuses et vaguement figuratives, tandis que la série *Sounds in the Grass* marque un changement vers la technique du *dripping* (laisser goutter) qui caractérise ses œuvres les plus connues.

L'exposition reçoit les éloges de Clement Greenberg, et Peggy s'efforce de vendre ces nouvelles œuvres, ainsi que les tableaux plus anciens de Pollock qu'elle possède dans sa collection. Pendant ce temps, elle cherche un marchand pour reprendre son contrat avec le peintre.

Comme souvent chez Peggy, ses efforts sont à la fois généreux et intéressés : elle s'assure non seulement que le travail de Pollock continuera d'être montré, mais aussi qu'elle-même continuera à percevoir des revenus de la vente des toiles. Compte tenu de la rareté de ce type de contrat et du fait que la réputation de Pollock n'est pas encore tout à fait établie, ce sera un réel défi que de parvenir à persuader Betty Parsons de prendre Pollock comme client et d'exposer son travail dès janvier 1948.

Après l'ultime présentation de Pollock à Art of This Century, il n'y a plus que quatre autres expositions dans la Daylight Gallery, dont une de Morris Hirshfield, un artiste autodidacte et iconoclaste, qui gagne sa vie comme fabricant de pantoufles pour femmes ; une autre d'un jeune expressionniste abstrait, Richard Pousette-Dart, dont Peggy a ajouté les œuvres à sa collection ; et une troisième, du sculpteur David Hare.

La quatrième exposition est une rétrospective du travail de Theo van Doesburg, défunt mari de Nellie van Doesburg, avec laquelle Peggy s'était échappée de Paris quelques jours avant l'invasion allemande. Malgré ses efforts acharnés, Peggy n'avait pas réussi à faire rentrer Nellie aux États-Unis, et celle-ci passa les années de guerre en Europe.

Si Peggy se veut non conventionnelle et imprévisible, elle n'en apprécie pas moins les cérémonies et adore les événements empreints de grandiose et d'émotion. Clôturer Art of This Century avec une exposition des œuvres de Theo van Doesburg lui permet d'affirmer que sa collection a bouclé la boucle, de l'Europe à l'Amérique, puis de nouveau vers l'Europe. C'est un acte d'amitié et de fidélité qui rend hommage à ses premières années à Paris et célèbre tout ce qui en a découlé.

Cette ultime exposition reçoit une grande attention de la part des médias. À l'exception d'une critique négative de Robert Coates dans le *New Yorker*, les comptes rendus s'entendent pour à la fois louer le travail de van Doesburg, saluer le départ de Peggy et applaudir les réalisations remarquables d'Art of This Century.

CHAPITRE XIII

Venise

Juste au bon moment, le comptable de Peggy, Bernard Reis, réalise un véritable tour de magie en termes de droits patrimoniaux : il parvient en toute légalité à libérer suffisamment d'argent pour permettre à Peggy d'envisager d'acheter un palais à Venise – malgré le coût de son confortable train de vie pendant des années à New York, malgré ses dépenses pour continuer à acquérir des œuvres d'art, malgré le fait que sa galerie n'a jamais réussi à dégager des profits. Toutefois, cela se révélera plus difficile que de louer des appartements de luxe dans l'East Side de Manhattan, et tandis que Peggy s'efforce (avec l'aide de Pegeen) de dénicher le bon endroit, elle loue un étage du Palazzo Barbaro, dans lequel Henry James a écrit *Les Papiers de Jeffrey Aspern* et où il a situé une scène des *Ailes de la colombe*.

En novembre, Peggy se rend à Capri pour échapper au froid hivernal. Désormais marié à Jean Connolly,

Laurence Vail est revenu en pèlerinage sentimental sur cette île que Peggy et lui avaient visitée au début de leur mariage et où les avait rejoints la sœur de Vail, Clothilde, dont la présence perturbatrice avait tant fait souffrir Peggy. Cette dernière loue la Villa Esmeralda et se retrouve au centre d'une vie mondaine animée, incluant Kenneth Macpherson, qui possède sa propre villa à Capri. Cet été sera tumultueux, associant abus d'alcool, intrications amoureuses, changements soudains de partenaires et expérimentations sexuelles.

Au beau milieu de cette frénésie, Peggy reçoit une invitation : grâce en partie à Giuseppe Santomaso, l'un des artistes qu'elle a rencontrés à Venise, elle est conviée à présenter sa collection à la 24ᵉ Biennale de Venise, au printemps suivant. C'est à la fois un honneur et une excellente opportunité, car la Biennale est disposée à payer les frais de transport de la collection depuis New York jusqu'à Venise. Peggy est toujours enchantée de se voir courtisée, sans doute parce qu'elle est si souvent dans la position inverse. Maintenant, c'est Venise qui lui fait les yeux doux, *via* ses représentants officiels et ses artistes – qui ont tous compris combien sa présence profiterait à la ville.

Créée à la fin du XIXᵉ siècle et toujours aussi influente aujourd'hui, la Biennale de Venise réunit artistes, critiques, marchands et collectionneurs éminents, pour exposer et découvrir des œuvres d'art, dans un groupe de pavillons situés dans le quartier d'Arsenale – chaque pavillon représentant un pays étranger et présentant ses propres artistes. La diversité de la collection de Peggy va apporter une vision plus large et moins strictement nationale de ce qui compte dans l'art de ces trente dernières années et de l'actualité contemporaine, en Europe et aux États-Unis.

Le pavillon grec qu'on lui attribue tombe en ruine, et c'est le talentueux architecte vénitien Carlo Scarpa que Peggy engage pour le restaurer. Son exposition ouvre ses portes au début de la Biennale, le 6 juin, remportant un immense succès. La collection de Peggy occupe la conversation des visiteurs européens, dont beaucoup n'ont jamais vu le travail des expressionnistes abstraits et ne possèdent qu'une connaissance limitée de l'art moderne. Ravie du résultat, Peggy écrit dans ses mémoires que de voir son nom entouré de celui de tant de nations étrangères lui donnait l'impression d'être elle-même un « nouveau pays européen ». Et elle fait fièrement visiter son pavillon à tous ceux qui passent par Venise cet été-là, dont Alfred Barr, Marc Chagall, Matta, les Reises, Roland Penrose et son épouse, Lee Miller.

Après la Biennale, la collection de Peggy voyage à Florence et à Milan, puis à Amsterdam, Bruxelles et Zurich, pendant qu'elle négocie avec le gouvernement italien le montant fiscal qu'elle devrait payer pour installer définitivement ses peintures et ses sculptures en Italie. Après l'exposition de Zurich, ses œuvres sont officiellement considérées comme importées depuis la Suisse et donc taxées à un taux modique. Peggy et sa collection sont enfin réunies à Venise en 1951.

À ce moment-là, elle a acquis et vit déjà au Palazzo Venier dei Leoni. La construction de ce palais a commencé au XVIIIe siècle, avant d'être interrompue, et ce bâtiment de plain-pied situé face au Grand Canal dans le quartier de Dorsoduro fut par la suite connu sous le nom du « palais inachevé ». Parce qu'il reste, en théorie, un chantier en cours, il n'est pas soumis aux mêmes contraintes de restauration et d'aménagement que les autres demeures vénitiennes de valeur. C'est ainsi que Peggy va pouvoir se mettre à rénover son nouveau foyer.

Le projet d'un second niveau se révélant irréalisable, Peggy se contente de faire ajouter dans le jardin un pavillon, qu'on appelle localement une *barchessa* (un terme utilisé dans les fermes pour désigner une grange à foin), et installe ses peintures et sculptures dans des salles et des espaces extérieurs, dont la conception est censée représenter un croisement entre l'élégance vénitienne traditionnelle et quelque chose de plus épuré et plus moderne. Son palais sera perpétuellement redécoré. En 1961, Peggy engage Claire Falkenstein pour dessiner son portail, qu'on peut encore admirer aujourd'hui, soudé à la main à partir de petits éléments de fer, incrustés de brillants éclats de verre fondus à Murano.

Selon Peggy, aucun véritable Vénitien n'approuvera sa décoration moderne ou son goût artistique. « La princesse Pignatelli m'a dit un jour : "Si seulement vous jetiez dans le Grand Canal tous ces horribles tableaux, vous auriez la plus belle maison de Venise !" » Mais Peggy estime que le mobilier doit s'harmoniser avec la collection :

Peggy Guggenheim dans sa salle à manger à Venise (1968).

« À la place d'un lustre en verre vénitien, j'ai accroché un mobile de Calder, formé de tessons de verre et de porcelaine, qu'on pourrait croire tout droit sortis d'une poubelle. »

Peggy se met aussitôt à instaurer son salon et à organiser des fêtes et des dîners, destinés à un large cercle d'invités : le prince Philip, Tennessee Williams, Giacometti, Mary McCarthy et Truman Capote – qui passe deux mois chez elle pour écrire *Les muses parlent*, récit d'un voyage qu'il a effectué auparavant en Union soviétique. Résolu à surveiller son poids, Capote oblige Peggy à se mettre avec lui au régime, ne l'autorisant à manger que du poisson et un « déjeuner léger aux œufs ». Le poète Charles Wright se souvient avoir séjourné à Venise en tant que jeune titulaire d'une bourse Fulbright, pendant les terribles inondations de la fin des années 1960. Comme les eaux montaient, il trouva refuge et divertissement dans une fête animée, organisée dans le palais de Peggy : « Sindbad Vail, se souvient-il, servait les boissons. »

À peu près à la même période, le dramaturge John Guare se présente au musée Guggenheim, juste après la fermeture. Malheureusement, il est censé demeurer fermé pendant quelques jours et ne rouvrir qu'après le départ de Guare de Venise. Déterminé à voir la collection, l'auteur frappe avec insistance à la porte, finalement ouverte par une « femme en peignoir ». Elle lui fait les honneurs du palais, prenant son temps, détaillant les peintures à loisir. Et lorsque enfin le visiteur lui demande si elle travaille sur place, elle répond : « Je suis Peggy Guggenheim ! »

Guare ne sera en aucun cas le seul à bénéficier d'une visite privée par Peggy – qui a résolument et assez théâtralement rejeté la suggestion d'Herbert Read de ne pas ouvrir sa collection au public.

Peggy continue de découvrir et d'encourager de jeunes artistes italiens, dont elle ajoute le travail à sa collection. Parmi ces nouveaux protégés, on trouve Edmondo Bacci et Tancredi Parmeggiani. Pendant ce temps, l'ouverture de sa maison au public plusieurs jours par semaine entraîne une certaine confusion, puisqu'elle-même et ses proches vivent en réalité dans un musée. John Richardson se souvient que lors d'un séjour qu'il passa au palais, des étrangers faisaient souvent irruption dans sa chambre, pensant que celle-ci était incluse dans la visite.

Un enthousiasme nouveau et cette nouvelle vie à Venise profitent à Peggy. Elle arrête de teindre ses cheveux en noir corbeau et commence à s'habiller plus élégamment (à l'exception de ses lunettes de soleil en forme de papillons, peu flatteuses mais qu'une grande marque lui a fabriquées sur mesure et qu'elle affectionne). Sur les photos de cette époque, elle n'est jamais apparue aussi jolie et certainement aussi élégante que depuis sa jeunesse, lorsqu'elle portait la robe Paul Poiret pour la série de clichés réalisés par Man Ray.

Malgré l'âge, Peggy refuse de renoncer à toute opportunité de romance, de flirt et de sexe. John Richardson raconte qu'il a séjourné chez elle à Venise dans les années 1970, en même temps que Nellie van Doesburg

Peggy Guggenheim à Venise.

(restée une amie proche). Et il se souvient avoir entendu les deux vieilles amies se disputer les faveurs des ouvriers italiens bien bâtis qui restauraient le palais.

Peggy vit sa dernière grande histoire d'amour avec Raoul Gregorich, né à Mestre, dans la partie continentale de Venise, et qui a vingt-trois ans de moins qu'elle. Gregorich est extrêmement beau ; les amis de Peggy se souviennent qu'il ressemblait à Gregory Peck. Pendant la guerre, il a été emprisonné pour avoir commis un attentat contre le prince allemand von Thurm-und-Taxis – un acte de résistance politique, selon la version dont il parvient à convaincre Peggy. Notons que si les mémoires de Peggy décrivent ses mariages et ses aventures avec un luxe de détails, souvent très intimes, ils révèlent relativement peu de choses sur Raoul, bien que leur relation ait duré trois ans.

Peggy raconte à ses amis comme elle est heureuse que Raoul n'ait aucun intérêt particulier pour l'art ou pour le genre de conversations intellectuelles qu'elle entretient avec ses amis. Évidemment, les différences entre eux – de classe sociale, d'origine, d'âge, de capacité financière et de pouvoir – créent des turbulences dans leur relation. On peut entendre la condescendance de Sir Herbert Read, cité par Peggy, lorsqu'il dit que, si Raoul ne connaît rien de l'art, il a cependant « tout d'un philosophe ». Et Peggy écrit à Djuna Barnes que le sentiment d'infériorité que ressent Raoul – un sentiment qu'elle n'a connu que trop bien – amène celui-ci à faire et dire des choses terribles.

Pourtant, il semble aussi capable d'une gentillesse et d'une affection sincères. Il est l'un des rares à assurer à Peggy que son nom restera dans l'Histoire, « une déclaration que j'ai trouvée très touchante, bien qu'assez exagérée ». D'autres – c'est-à-dire un petit groupe de personnes diverses allant d'Alfred Barr à l'amant d'Allen Ginsberg, Peter Orlovsky – commencent également à reconnaître l'importance historique de Peggy.

Raoul nourrit une grande passion pour les moteurs et la vitesse, précisément pour les bolides sur eau (Peggy acquiert un hors-bord pour lui faire plaisir) et sur route. Mais le couple se dispute à propos de la réticence de Peggy à lui offrir le véhicule de ses rêves. Finalement, elle capitule et lui achète une voiture de sport bleu pâle – pour un résultat tragique : Raoul se tue au volant de son cadeau, lors d'un accident survenu à l'extérieur de Venise.

Dans une lettre à Djuna, Peggy se reproche en partie cette « tragédie grecque » qu'est la mort de Raoul, d'avoir cédé à ses caprices pour cette voiture qui lui fut fatale. Cependant, dans ses mémoires, elle se distancie à ce point de l'accident qu'elle n'en parle qu'entre parenthèses : « Raoul, qui ne s'intéressait qu'aux moteurs de voiture (ce qui le conduirait si tôt après à une mort prématurée), ne prêta jamais guère d'attention à l'art. »

Elle confie son chagrin indirectement et avec une certaine désinvolture, mais parvient tout de même à exprimer combien elle est touchée par la perte de son amant :

« À l'automne 1954, après la mort de Raoul, j'ai décidé de quitter l'Italie et d'essayer de penser à autre chose. » Voilà qui est typique du style littéraire de Peggy : cette référence à un deuil si douloureux qu'il ne peut être dépassé que par un changement d'air, apparaît en brève introduction à un chapitre sur le voyage.

Elle fait d'abord escale à Ceylan, puis au Sri Lanka, là où vivent Paul et Jane Bowles, sur l'île que l'écrivain a achetée – dépourvue d'eau courante et d'électricité, et accessible uniquement en traversant l'océan Indien. L'île se trouve à une courte distance du rivage, mais l'eau est assez profonde pour que Peggy soit obligée de relever ses jupes – et que les vagues lui trempent le postérieur.

Philip Rylands, le conservateur actuel de la collection Peggy Guggenheim, se souvient que Peggy s'intéressait beaucoup aux autres, toujours curieuse de connaître leurs motivations et leurs réactions. Après les fêtes qu'elle donnait, elle leur demandait, à lui et à sa femme Jane, une amie proche de Peggy, pourquoi telle ou telle personne avait tenu ces propos ou fait telle ou telle chose.

Cette fascination de Peggy pour les raisons et les nuances du comportement humain est d'autant plus frappante que ses mémoires contiennent très peu de commentaires sur la vie privée de ses amis ou sur des situations dans lesquelles elle n'est pas directement impliquée. Dans le récit de son séjour avec les Bowles à Ceylan, par exemple, elle se concentre sur sa visite à la maison d'un artiste prodige de 12 ans et d'un brillant violoncelliste adolescent. Mais elle omet le fait que Paul et Jane traversent alors une crise dans leur mariage.

Chacun des époux Bowles s'est profondément impliqué au Maroc dans une relation amoureuse avec un partenaire du même sexe. Paul a ramené avec lui son Ahmed bien-aimé, mais Jane n'a eu d'autre choix que d'abandonner Chérifa à l'étal de son marché de Tanger (une femme qui la fascinait et que l'amant de Paul accusait de pratiquer la sorcellerie). Et l'on ignore si Peggy ne fut pas informée ou ne voulut pas consigner dans son livre que sa présence avait déclenché un combat au couteau entre Ahmed et le chauffeur des Bowles, chacun des deux accusant l'autre de tenter un rapprochement vers Peggy – et son argent.

Détestant Ceylan, son manque de confort et ses désagréments, Jane traverse une dépression nerveuse (observée par Peggy), exacerbée par les tensions avec Paul, par la présence d'Ahmed, par sa propre incapacité à écrire, par l'excitation que son mari ressent à commencer un nouveau roman et par la quantité impressionnante de gin qu'elle engloutit, combinée à un médicament contre la tension artérielle et à un sédatif connu pour ses effets dépresseurs. Après avoir essayé de persuader Jane de voyager en Inde avec elle, Peggy l'emmène passer une semaine à Colombo.

Peggy raconte seulement qu'après cinq semaines à Ceylan, elle se rend seule en Inde, où elle rencontre à Calcutta un peintre nommé Jaminy Roy, dont le travail possède une « qualité primitive » et qui, selon elle, est un « homme sage et assez pur ». Elle n'est pas impressionnée par Chandigarh, la ville conçue par Le Corbusier, ni par l'art moderne indien en général, mais elle adore les boucles d'oreilles qu'elle achète à Darjeeling, où elle entreprend la mission, qui se révélera infructueuse, de trouver des terriers de Lhassa afin de mettre un terme à « la consanguinité de ma nombreuse famille de chiens ».

Après son retour d'Asie, Peggy reprend sa vie au palais : profiter de sa collection, bronzer sur le toit, sillonner les canaux dans sa gondole privée, divertir les amis qui lui rendent visite et passer du temps avec la coterie fluctuante et semi-permanente des homosexuels qui continuent de lui fournir l'attention masculine dont elle a toujours besoin. Outre Truman Capote, qui (avec la cruauté qui imprègne son roman *Prières exaucées*) s'est inspiré de Peggy pour créer son personnage de « Bert Lahr aux cheveux longs », on trouve parmi ces hommes qui entourent Peggy son vieil ami Charles Henri Ford, le peintre surréaliste Pavel Tchelitchew, le photographe Roloff Beny, les pianistes Arthur Gold et Bobby Fizdale, et le peintre Robert Brady. Et parmi ceux qui comptent le plus aux yeux de Peggy, John Hohnsbeen, ex-danseur et amant de l'architecte Philip Johnson.

Comme Kenneth Macpherson, Hohnsbeen mène une vie mondaine active, installé dans un appartement entièrement blanc. Pendant des années, il sera l'invité de Peggy, son secrétaire-assistant, son compagnon et son réconfort. Il s'attendait absolument à devenir le conservateur de la collection après la mort de Peggy, mais sera furieux et déçu de voir le poste échoir à Philip Rylands.

Au début des années 1950, le Palazzo Venier dei Leoni est devenu une sorte de lieu de pèlerinage et de destination touristique pour les poètes et écrivains de la *beat generation*, que Peggy découvre grâce au poète et dramaturge Alan Ansen. Ce dernier a travaillé comme secrétaire de W.H. Auden, passé du temps avec Paul Bowles à Tanger et servi de modèle pour des personnages d'œuvres de Jack Kerouac et William Burroughs.

La visite de ces écrivains ne se passe pas toujours bien. Quand on lui conseilla d'embrasser la main de Peggy, William Burroughs aurait déclaré : « Je serai heureux de lui embrasser la chatte si telle est la coutume », une réplique qui lui vaudra une interdiction de séjour dans le palais. Allen Ginsberg parvient également à offenser Peggy. Lors d'une lecture poétique, Peter Orlovsky lance à Ginsberg une serviette imbibée de sueur et atteint Peggy par erreur. Furieuse, celle-ci annule l'invitation de Ginsberg à une réception à son palais, ce qui inspire au poète une lettre d'excuses obséquieuse, dans laquelle il exprime son désir ardent d'assister à la fête et sa réticence à quitter Venise sans expérimenter pour la première fois un « magnifique salon historique et officiel » et sans connaître « de grandes rencontres sociales de classe supérieure ». Aucun des deux hommes ne sera mentionné dans l'édition finale d'*Out of This Century*.

Peggy connaît une expérience bien différente avec Gregory Corso. Pendant son long séjour à Venise en 1958, Peggy et lui s'engagent dans une semi-relation amoureuse. Comme Gregorich, Corso a passé quelque temps en prison, et ce poète élancé, nerveux, beau et cultivé – tout à fait le genre de Peggy – doit avoir pour elle le charme d'un revenant : la vivante incarnation de tant d'hommes qu'elle a aimés par le passé.

De tous les auteurs qui ont décrit Peggy – que ce soit dans des biographies, dans les mémoires d'autres écrivains, en tant que personnage de fiction et même dans sa propre autobiographie –, Corso est sans doute celui qui se montrera le plus tendre, le moins péremptoire, le plus compatissant et clairvoyant, celui qui aura le mieux su résister à la tentation des rumeurs et de la condescendance.

L'histoire de leur relation se dévoile dans une série de lettres que Corso adresse à Ginsberg à partir de janvier 1958, lorsque Peggy a environ 60 ans et Corso 23. Cette correspondance retrace les débuts, l'apogée, puis la fin brutale de l'amitié romantique qui lia le poète à Peggy – et sa transformation finale en une relation moins intime et plus conviviale.

Ginsberg aurait dit à Corso qu'il était assez charismatique pour extorquer à Peggy une pension à vie, ce à quoi Corso (qui possédait effectivement quelques-uns des talents et des vices d'un escroc) aurait répondu qu'il n'avait rien à faire de l'argent, qu'il avait juste besoin de quoi vivre et être heureux – ce qui était déjà le cas, à Venise. Peggy et lui se rencontrent autour d'un dîner bien arrosé et elle l'invite à venir voir sa collection. Ce qui arrive ensuite vaut la peine d'être cité dans son intégralité, car – peut-être plus que tout ce qui a pu être écrit – ce passage évocateur et assez bouleversant traduit ce qu'a pu ressentir un jeune homme en devenant l'objet du désir de Peggy :

> Bonnes nouvelles. J'avais dansé comme un dingue au milieu des Picasso, des Arp et des Ernst avec Peggy Guggenheim, elle s'amourache de moi. Je lui ai tout dit sur moi, la prison, etc., etc., elle me donne rendez-vous pour le lendemain, ça devrait être sympa. C'est une personne très douce, triste au fond, et vieille de souvenirs. Mais je la rends heureuse, elle rit, et donc je lui fais du bien comme ça. On a parlé de sexe, et encore de sexe, mais je ne sais pas trop quoi faire à ce sujet. Elle voulait que je reste passer la nuit, mais je ne pouvais pas, et je ne suis pas resté, et je suis content parce qu'elle m'a raccompagné à pied tard dans la nuit jusqu'au bateau chez Ansen, et s'est assise sur la barque avec moi et m'a raconté des trucs super sur elle, sur Beckett, sur sa vie, et c'était agréablement triste et bon, ainsi Venise devient romantique pour moi, de cette manière. Je la sortirai demain, mais il ne me reste plus que deux mille lires, que faire, que faire… ? Son chien est mort, il y a deux jours, elle l'a enterré dans le jardin. Quelle scène étrange. Tard dans la nuit, elle m'a emmené dans le jardin avec une cruche d'eau, il

faisait noir, et la lune était brillante, elle portait mon imper et, de sa petite main, elle m'a guidé jusqu'à l'endroit du chien, après le Brancusi, après l'Arp, après le Giacometti, on est arrivés sur la tombe canine, et avec une grande solennité, elle m'a pris la cruche et a versé de l'eau sur la tombe du chien. Tout ça était très touchant. Plus tard dans la soirée, une fois qu'elle savait tout sur moi, après toute la discussion sur le sexe, j'ai dit : « Je dois rentrer chez moi, mais bon, je suis un homme et je me sens très frustré », elle m'a enlacé, m'a embrassé et, prenant ma main, on a dansé les Picasso et les Ernst. Merveilleuse femme, très étrange. N'as-tu pas vu ça en elle ? Comment as-tu pu passer à côté ? Peut-être que tu n'avais pas le temps, mais vraiment elle est géniale, et triste, et a vraiment besoin d'amis. Pas tous ces horribles peintres tout le temps. Je lui ai dit que les peintres la rendaient horrible, ça l'a fait rire, elle m'a raccompagné au bateau, là on s'est assis et quand le bateau est arrivé quinze minutes plus tard, je lui ai donné un baiser d'au revoir, pendant que je l'ai regardée s'éloigner, je l'ai vue porter la main à sa tête comme si elle souffrait. Par ce geste, j'ai soudain compris la détresse de cette femme. C'est une bonne vivante, et la vie lui échappe. C'est tout ce qu'il y a à dire. Ça lui échappe. Dieu que c'est douloureux à voir et à savoir et à regarder. Mais je vais lui raconter des trucs drôles, et elle va rire, et qui sait ce qui arrivera.

Dans une lettre au poète Ron Loewinsohn, Corso remarque chez Peggy les « lunettes papillon et les

chaussures de sorcière aérodynamiques », la qualifie de
« femme géniale », et ajoute que « Venise est devenue
apparemment romantique puisqu'elle est devenue une
sorte de George Sand pour moi ». Un mois plus tard,
Corso écrit à Lawrence Ferlinghetti que Peggy est une
« très belle femme », qu'elle lui a donné une montre et
qu'ils parlent de partir en Grèce ensemble.

Peu de temps après, il consigne pour Ginsberg une
conversation intense qu'il a eue avec Peggy – en état
d'ébriété.

> Une nuit, il y a deux jours, ivre, j'ai offert mon âme
> à Peggy pour toute la vie, elle m'a demandé pourquoi,
> et j'ai dit que je voulais être tranquille pour écrire écrire
> écrire, elle a répondu d'accord, alors j'ai dit « mais je dois
> t'avoir à moi pour la vie » et elle a dit « mais j'ai 59 ans »,
> j'ai dit que si elle parlait encore de son âge, j'allais la
> détester parce que je déteste parler de l'âge, elle a dit
> « d'accord, c'est vraiment la vie que tu veux ? », alors
> j'ai réfléchi un peu et j'ai dit « je sais pas, tout ce que je
> sais, c'est que je te donne mon âme, ce que je souhaite
> en retour, c'est un avis de décès, ça viendra, un jour je
> te demanderai… » C'était dingue, la soirée s'est achevée
> sur une longue longue étreinte et embrassade sur une
> place quelque part… Voilà mon rendez-vous avec Peggy.

Mais avant longtemps, la fougue de leur coup de
foudre initial commence à retomber. Une querelle
éclate lorsque Corso traite Peggy de « vieille mamma
juive » parce qu'elle voudrait bien séparer Pegeen

de son petit ami. Peggy « est devenue folle et pfff. Terminé. Adieu la Grèce, elle m'y aurait emmené, mais je ne suis pas un chasseur de dot et je dis ce que je pense. Je suis fier de moi. De toute façon, je n'ai plus besoin de personne, surtout pas de ceux qui ne supportent pas la vérité ».

Corso écrit à Ginsberg une version développée de ces événements, marquée par une vision désillusionnée et même désabusée du caractère de Peggy. En réponse à l'obsession de Peggy pour sauver Pegeen de son amant, Corso propose d'emmener sa fille en Afghanistan et de l'abandonner là-bas, « enceinte et tout, au milieu des hordes sauvages ». Lorsque Peggy lui demande ce qu'il voudrait en échange d'une telle faveur, il répond « La Crète » – vraisemblablement en référence au voyage grec qu'elle lui avait promis.

> Elle m'a regardé durement, puis a éclaté « Comme tu peux être méchant ! » et s'est précipitée hors de la maison. Malgré toute ses bonnes intentions envers les artistes, elle n'est pas très maligne, je le crains. Et après tout, elle aide les peintres, pas les poètes, c'est une femme d'affaires, vraiment, car les peintres lui rapportent quelque chose, le Picasso sur son mur ne mourra jamais, mais le recueil de poèmes sur son étagère, si. Car il ne rapporte rien.

Le ressentiment déconcerté qui monte soudain en Corso ressemble à de la malhonnêteté, ou de l'aveuglement, sachant qu'il vient juste de proposer (certes en plaisantant) d'emmener une fille chérie en Afghanistan et de la laisser là-bas, enceinte, en échange d'un voyage en Crète avec sa mère. Corso note également qu'il avait l'intention d'écrire un poème où Peggy et Pegeen figureraient comme Déméter et Perséphone, la déesse de la terre et sa fille kidnappée par le maître des Enfers. Un mois plus tard, Corso a réintégré les bonnes grâces de Peggy, mais leur relation a changé. « Suis redevenu très bons amis avec Peggy, elle m'a coupé les cheveux. Irai dîner avec elle ce soir. »

Malheureusement, leur amitié finira mal. Corso entre dans une rage, compréhensible, en découvrant que Peggy et l'artiste hollandais Guy Harloff ont jeté ses écrits en nettoyant la maison d'Alan Ansen en 1962. « Des charognards des arts ! C'est une histoire importante qu'ils ont détruite là. C'est un crime, un véritable crime, et ils devraient payer une sorte de dédommagement. »

L'amertume que Corso en conçut orienta peut-être le récit de sa relation avec Peggy, telle qu'elle apparaît dans la biographie de William Burroughs par Ted Morgan en 1988, *Literary Outlaw*. Corso raconta leur histoire comme une série d'erreurs. Première erreur : avoir refusé de coucher avec Peggy. La deuxième : l'avoir complimentée sur son jardin quand elle l'emmena voir la tombe de son chien. La troisième : avoir dit à Peggy que c'était l'artiste allemand Hundertwasser qui avait volé le phallus amovible de la statue de Marini (elle en avait accusé Corso). Et la quatrième : avoir révélé à Peggy que la femme qu'il désirait vraiment, ce n'était pas la mère mais la fille, pas Déméter mais Perséphone. Pas Peggy, mais Pegeen.

CHAPITRE XIV

Pegeen

Malgré tout le plaisir que Peggy prend à jouir de sa vie mondaine vénitienne, de la beauté de son palais et du privilège de pouvoir vivre enfin entourée de sa collection, elle s'inquiète presque constamment au sujet de Pegeen, qui montre à nouveau des signes de cette instabilité qui perturbera une grande partie de sa vie d'adulte. Parmi la série de psychothérapeutes qu'elle consulte, aucun ne semble capable de poser un diagnostic sur la souffrance de Pegeen (encore moins de la soulager), ni de déterminer lesquels de ses troubles relèvent de la cause ou de l'effet. Sujette à la dépression, Pegeen se voit prescrire des sédatifs et des tranquillisants, auxquels elle devient dépendante. À l'instar de ses parents et de son frère, elle consomme beaucoup d'alcool. Elle cesse de s'alimenter à plusieurs reprises, mais là encore, nul n'est capable de déterminer s'il s'agit d'un symptôme d'alcoolisme, de toxicomanie, d'anorexie ou de dépression – et comme souvent, l'absence de diagnostic incite son entourage à se contenter d'espérer une amélioration.

Se voyant refuser, dès son plus jeune âge, un semblant ou même la promesse d'une stabilité familiale, encouragée à devenir sexuellement précoce, impliquée directement et malgré elle dans les conflits de ses parents, abandonnée par la belle-mère qu'elle aimait, arrachée à la nounou qu'elle adorait quand sa mère a renvoyé Doris, Pegeen fut contrainte, pour obtenir l'attention de sa mère, de rivaliser avec une succession de beaux-pères officieux et officiels, avec lesquels sa propre relation n'était pas claire (notamment avec Max Ernst).

Il semble qu'Ernst ait favorisé la rivalité sexuelle de Pegeen avec sa mère. Voici comment Jimmy Ernst décrit son voyage à travers les États-Unis en compagnie de Peggy, Max et Pegeen :

> Les clichés et fragments de toute cette période forment encore une mosaïque en puzzle, dont les pièces refusaient de rester en place tellement j'étais fasciné par le déferlement de rebondissements, d'extravagances et de pugilats dans les relations consternantes entre Max et Peggy, Peggy et sa fille Pegeen, Pegeen et Max – et finalement, entre ces trois-là et moi, jouant le rôle d'une sorte de caisse de résonance, de bélier et d'arbitre totalement incompétent. Pegeen et ses 16 ans, très jolie et très perdue [...] livrait des batailles éplorées contre Peggy, contre Max aussi, apparemment en représailles contre sa vie de bohème en Europe et la perspective d'un avenir incertain avec une mère dont elle ne ressentait que trop l'insécurité affective.

Portrait de Pegeen Vail Guggenheim.

Plus tard, Jimmy Ernst raconte l'ambiance à la table du petit-déjeuner dans l'appartement que Peggy partage avec Max et Pegeen. « C'était une litanie fastidieuse de querelles mesquines, qui finissait souvent par de la vaisselle brisée, des portes claquées et la fuite précipitée de l'un ou l'autre d'entre eux en pleine nuit. Les amis, anciens comme nouveaux, se retrouvaient, souvent à contrecœur, impliqués dans des petits jeux ou des grandes parties de provocation sexuelle, qui se terminaient souvent par des rapprochements étranges. Je ne voyais aucune logique dans le fait de devoir jouer les paratonnerres ou les médiateurs dans ces tempêtes matinales, qui pouvaient s'étaler sur plusieurs jours. »

Comme le suggère l'histoire de Gregory Corso, mère et fille sont toujours en rivalité face aux hommes. À ce stade, les modèles de mauvais comportements établis entre elles depuis longtemps – une affection et une inquiétude exacerbées, des critiques irresponsables, des crises mélodramatiques, une compétition sexuelle, ainsi que du mépris pour leurs amants et maris respectifs – sont devenus extrêmement destructeurs pour chacune.

Le jugement que porte Anton Gill sur les compétences maternelles de Peggy semble à la fois injuste et absurde : « Il est certain que Peggy était une mauvaise mère ; quant à dire si c'était toujours délibéré de sa part, c'est une autre paire de manches. » Il n'est pas clair du tout que Peggy ait été une « mauvaise mère », même si elle a pu se montrer centrée sur elle-même et souvent négligente. Mais quoi qu'en dise Gill, il est faux de dire qu'elle traita Pegeen de manière sadique, ou que Peggy n'était pas sincère lorsqu'elle a écrit qu'il n'y avait personne au monde qu'elle aimât plus que Pegeen, que Pegeen était la prunelle de ses yeux.

Au début des années 1950, le mariage de Pegeen avec Jean Hélion, un homme plus âgé et relativement stable, est en train de péricliter, en partie à cause des infidélités de Pegeen. À cette période, Michael Wishart habite à Paris près du couple : « Le mariage de Pegeen tombait en ruine. Le divorce, ce monstre cruel que les initiés avertis guettent à chaque signe de tension dans les mariages, se manifestait déjà à l'appel de leurs tristes et folles querelles. Pegeen, belle-fille de Max Ernst et fille de Peggy (la plus généreuse mécène des principaux peintres surréalistes), avait grandi dans un environnement sophistiqué et instable. Elle s'illusionnait en croyant ne plus avoir besoin du dévouement et de la sécurité paternelle que lui procurait Hélion. »

Wishart se rappelle que son épouse Anne et lui virent souvent Pegeen et Hélion se débattre dans leur mariage « à l'agonie », « dans un immense atelier au dernier étage, donnant sur le jardin du Luxembourg ; ils nous invitaient souvent à leur rendre visite, entre et même pendant leurs disputes ». Les sympathies communistes d'Hélion ont détourné son travail de l'abstraction, orientant ses œuvres « plutôt vers des sujets ostensiblement "prolétariens". Ses toiles étaient envahies, comme il se doit, par des ouvriers aux allures de marionnettes brandissant des clés à molette, tandis que les bourgeois, coiffés de chapeaux melon en fer, somnolaient sur les bancs des parcs ».

Pendant ce temps, Pegeen continuait à peindre, et parfois à exposer (en particulier à Milan, où feu Sir Herbert Read rédigea un excellent avant-propos pour son catalogue). Ses toiles mystérieuses évoquaient surtout son enfance en *nursery* et des scènes vénitiennes de son quotidien, mais présentées comme si chaque élément – Pegeen elle-même, ses enfants, ses animaux de compagnie, ses gondoles et ses gondoliers – était fait en sucre d'orge. Ses peintures recréaient un univers tout entier composé des reflets en spirale que projettent à la surface de l'eau les poteaux multicolores auxquels sont amarrées les gondoles, ballottées par les flots dans l'attente de leurs aristocratiques propriétaires.

Peu après la naissance de son troisième fils, Nicolas, en 1952, Pegeen se lance dans une liaison avec un artiste italien, Tancredi, l'un des protégés de sa mère. Il occupe l'atelier jouxtant celui de Pegeen, dans le sous-sol du palais de Peggy – on pourrait donc dire que Peggy a joué un rôle dans leur rapprochement. C'est la relation la plus sérieuse que Pegeen ait vécue depuis qu'elle est avec Hélion, et elle aura raison de son mariage. Après la séparation de Pegeen et Tancredi, celui-ci quitte Venise pour Rome. Il se mariera, aura des enfants et finalement se noiera dans le Tibre.

À cette époque, Peggy prend la décision d'emmener Pegeen à Londres, apparemment dans l'espoir que sa fille puisse rencontrer un riche et solide aristocrate britannique, prêt à l'épouser. Si telle est bien l'intention de Peggy, elle va rapidement déchanter. Quelques jours après leur arrivée, Pegeen rencontre et tombe follement amoureuse de Ralph Rumney, un peintre britannique de presque dix ans son aîné, mais à l'alcoolisme égal, voire supérieur, au sien et qui n'est en aucun cas un modèle de stabilité émotionnelle. Fils d'un vicaire, Rumney a été renvoyé de la Ligue des jeunes communistes et plus tard de l'Internationale situationniste, un groupe artistique et politique radical qui combine les éléments du marxisme à la théorie surréaliste.

Pour un observateur extérieur, Rumney semble avoir quelque chose du charisme de l'artiste inadapté, qui a si souvent conquis le cœur de Peggy. Mais, contrairement à sa fille, celle-ci a retenu la leçon de son passé. Elle déteste Rumney et se méfie de lui, le considérant bientôt comme un chasseur de dot et comme la cause de tous les malheurs de sa fille (même si ceux-ci ne datent pas de leur rencontre). En 1958, Pegeen donne naissance à un garçon baptisé Sandro, l'enfant de Rumney. Mais l'arrivée de ce nouveau petit-fils n'a guère pour effet d'améliorer l'estime de Peggy pour Rumney : elle lui propose beaucoup d'argent pour qu'il quitte Pegeen – ce qu'il refuse.

Peggy ne se laisse cependant pas distraire par les problèmes de sa fille au point de négliger sa collection d'art. En 1954, elle achète *L'Empire des lumières* par René

Magritte et, trois ans plus tard, elle y ajoute des tableaux de Paul Jenkins, Ben Nicholson et Francis Bacon. Plus tard, elle acquiert des œuvres de Dubuffet, De Kooning et plusieurs artistes italiens. Pendant ce temps, elle continue de se faire de nouveaux amis : John Cage lui amène le danseur Merce Cunningham, qui séjourne chez elle, et tous deux la présentent à la performeuse nippo-américaine Yoko Ono – Peggy, Ono et Cage voyageront ensemble à travers le Japon. À New York en 1959, Peggy visite le chantier du bâtiment qu'on a commandé à Frank Lloyd Wright afin d'exposer la collection de son oncle Solomon, décédé dix ans plus tôt. Peggy n'est pas favorablement impressionnée par l'ensemble, qu'elle surnomme « le garage de l'oncle Solomon ».

Deux ans plus tard, Peggy revient de nouveau à New York, cette fois pour poursuivre Lee Krasner en justice, qu'elle accuse de l'avoir lésée en dissimulant l'existence d'un petit ensemble d'œuvres que Pollock a créées alors qu'il était sous contrat avec Peggy – et qui donc lui reviennent de droit. Finalement, un accord amiable est trouvé et Peggy reçoit 122 000 dollars.

Peggy ne décolère pas contre Ralph Rumney, auquel elle refuse toute visite ou toute communication, et qu'elle accuse d'avoir mis sa fille enceinte pour l'obliger à rester avec lui et à le soutenir. Le couple vit la bohème, dans une pauvreté romantique et sans confort, partageant son temps entre Venise et Paris. Après leur mariage en 1958, ils s'installent à Paris, où ils achètent un petit appartement avec le produit de la vente d'une peinture de Max Ernst qui appartenait à Pegeen.

Michael Wishart raconte qu'il était « très proche de Pegeen depuis leur enfance, et c'était un crève-cœur de la voir progressivement se noyer dans la confusion et le désespoir qui devaient, après plusieurs tentatives infructueuses, la conduire au suicide. Après son divorce, Pegeen épousa l'artiste anglais Ralph Rumney, un bel homme brillant quoique imprévisible, qui ajouta un autre fils à ses nombreux enfants, mais se révéla incapable de l'extraire du puits de déception et de désespoir dans lequel la vie avait poussé ce tempérament exquis et délicat. Je ne peux jamais me remémorer les longs cheveux dorés de Pegeen sans penser à Ophélie[1] ».

Pendant ce temps, Peggy s'inquiète de plus en plus de ce qu'il adviendra de sa collection après sa mort.

Dans *Peggy Guggenheim and Her Friends*, sa sœur Hazel rappelle, avec une certaine perfidie, que Peggy avait promis de léguer sa collection à Pegeen et de la nommer conservatrice. Mais Pegeen, écrit Hazel, était contrariée parce que sa mère avait précisé qu'elle ne serait pas autorisée à toucher ou à modifier quoi que ce soit, pas même un tableau.

Après moult hésitations au sujet de la fondation qu'elle veut établir et des membres qu'elle veut choisir pour y siéger, Peggy charge Bernard Reis de rédiger un testament

---

1. Personnage de la tragédie de Shakespeare, *Hamlet*, qui sombre dans la folie et meurt, par accident ou par suicide.

laissant tout ce qu'elle possède, à l'exception du palais et de la collection, à ses enfants – qui seront obligés de renoncer à toute revendication concernant les œuvres. En 1964, elle expédie sa collection à Londres, pour une exposition à succès à la Tate Gallery. Pegeen et Sindbad y viennent partager le triomphe de leur mère et profiter d'un rare moment d'harmonie familiale.

À mesure que la dépression de Pegeen et sa toxicomanie s'aggravent, Rumney commence à se comporter d'une manière effrayante, qui rappelle Laurence Vail dans ses jeunes années. Il peut se montrer charmant et éloquent, mais quand il boit, il devient querelleur et violent. La relation de Pegeen avec Peggy oscille entre complicité et rejet, la fille se confiant à sa mère ou refusant de lui parler, alternativement. Pegeen fait des séjours en clinique ; Laurence et Ralph en viennent même à l'enfermer dans une chambre pour tenter de contenir ses addictions – un traitement qui, évidemment, sera vain.

En février 1967, Ralph est arrêté à Venise et passe une nuit en prison, pour des raisons non éclaircies. Plus tard, il affirmera que Peggy a organisé sa détention et son expulsion consécutive d'Italie. L'incident terrifie Pegeen, qui l'interprète (à tort) comme une manœuvre pour lui signifier qu'elle ne sera jamais plus autorisée à revenir à Venise.

La nuit où Rumney rentre à Paris, Pegeen et lui se disputent jusqu'à ce que celle-ci soit trop épuisée pour continuer à se battre. Elle part ensuite dormir dans la chambre de la femme de ménage. Le lendemain matin,

Ralph emmène les garçons à l'école. Quand il rentre, il se recouche. À son réveil, Pegeen ne répond pas quand il frappe à sa porte. Il réussit à récupérer la clé, déverrouille et découvre Pegeen, morte.

Alors en voyage au Mexique, Peggy s'inquiète pour Pegeen, au point d'allumer un cierge pour elle, lorsque son ami Robert Brady l'emmène visiter l'église de Santa Maria Tonantzintla. Brady se souvient : « J'ai ouvert un télégramme et je suis devenu vert. Elle a compris qu'il s'agissait de Pegeen. Le télégramme disait : "Pegeen décédée. Rentrez à Paris immédiatement." » Elle m'a dit plus tard qu'elle a allumé la bougie au moment même où Pegeen a succombé. Nous avons discuté toute la nuit et elle ne s'est jamais effondrée. C'était la femme la plus courageuse au monde. »

Là encore, laissons Peggy avoir le dernier mot, cette fois à propos de sa fille.

Je suis allée rendre visite à Robert Brady au Mexique, et c'est là que je me trouvais quand j'ai reçu la nouvelle tragique de la mort de Pegeen. Ma chère Pegeen, qui n'était pas seulement une fille, mais aussi pour moi une mère, une amie et une sœur. C'était comme si nous entretenions entre nous une liaison amoureuse perpétuelle. Sa mort précoce et mystérieuse me laissa tout à fait désemparée. Il n'y avait personne au monde que j'aimais autant. J'ai senti que toute la lumière s'était retirée de ma vie. Pegeen était une peintre primitive très talentueuse. Pendant des années, j'avais encouragé son talent et vendu ses toiles. Elle commençait tout juste à avoir un réel succès, avec des expositions cet hiver-là au Canada, à Stockholm et à Philadelphie.

L'intention de Peggy était d'exprimer l'amour et la dévotion les plus purs, mais le résultat paraît légèrement déplacé, maladroit. Est-il sage de considérer sa fille comme une mère, une sœur et une amie ? N'aurait-il pas mieux valu la voir simplement comme une fille ? L'amie de Peggy, Nellie van Doesburg, décrit leurs rapports comme ceux « de sœurs ». Tout cela suggère un problème latent dans la relation de Peggy avec Pegeen : cette tendance de la mère à impliquer sa fille dans ses péripéties amoureuses, ainsi que son habitude de se reposer sur elle, obligeant sa fille à assumer le rôle de la mère qui réconforte après les échecs sentimentaux, notamment et surtout après l'échec de son mariage avec Max Ernst. Et n'est-il pas étrange pour une mère de décrire sa relation avec sa fille comme une « liaison amoureuse perpétuelle », surtout quand cette mère connaît une série d'aventures orageuses et décevantes ?

Peggy nous en dit là davantage sur son propre désarroi que sur la fille qu'elle a perdue. Et la fin du passage – qui loue le talent de Pegeen en tant que « peintre primitive » exposant au Canada, à Stockholm et à Philadelphie – alimente l'accusation, si souvent portée contre Peggy, que Pegeen se sentant négligée était devenue artiste pour tenter d'attirer l'attention d'une mère qui parle de ses peintures comme de ses enfants, et des artistes réfugiés qu'elle a aidés comme de ses bébés.

Ainsi, Peggy honore la mémoire de sa fille en louant sa carrière artistique. Elle ne mentionne aucune autre de ses qualités, traits de caractère ou vertus, ni même le fait qu'elle était elle-même une mère. Aussi talentueuse que soit Peggy comme écrivaine, son éloge funèbre pour Pegeen omet tous les éléments que l'on pourrait souhaiter dans un tel exercice : une évocation de la personne qu'elle était, de ce que l'on ressentait à son contact. C'est plutôt un bref *curriculum vitae*.

Un peu plus loin dans ses mémoires, relevant les inexactitudes dans *The Guggenheims. An American Epic* par John Davis, un livre qu'elle déteste, Peggy écrit : « Aucun élément ne prouve que Pegeen se soit suicidée. Le médecin qui a effectué l'autopsie a déclaré qu'elle est morte des poumons. Je pense qu'elle a dû s'étouffer dans son vomi. » Bien sûr, il est rare d'étouffer dans ses propres vomissements – à moins d'être fortement alcoolisé ou drogué, ou les deux. Michael Wishart écrit : « Elle consommait trop de médicaments et débarquait chez moi sans crier gare, à n'importe quelle heure de la nuit, généralement en larmes. »

S'il est généralement admis que la mort de Pegeen résulta d'une overdose de quelque nature, il est impossible de déterminer si elle fut accidentelle, impulsive ou préméditée. Pour défendre cette dernière thèse, certains citent les nombreuses tentatives de suicide de

Pegeen dans le passé. Un ami déclare avoir assisté à une garden-party où Pegeen est apparue, de l'autre côté de la pelouse, entièrement couverte de sang. Une autre anecdote décrit Pegeen annonçant à la tablée qu'elle va se suicider dans la salle de bain – une déclaration que la plupart des invités au dîner prennent pour une plaisanterie, avant d'apprendre que la jeune fille a englouti un flacon entier de pilules. D'aucuns affirment avec conviction que Pegeen fut assassinée, mais en l'absence d'une enquête approfondie, cette version semble peu probable.

Au moment où elle rédige la version finale d'*Out of This Century*, Peggy est devenue plus prudente. Les seules références qu'elle s'accorde au sujet de Ralph Rumney sont là pour réfuter l'accusation, portée dans le livre de John Davis, qu'elle se montrait avare avec ses enfants : « J'ai accordé une large allocation à Pegeen et à Sindbad, et j'ai vendu de nombreuses toiles de Pegeen dans ma galerie. » Les griefs de Peggy contre Rumney semblent être financiers et donc bénins par rapport à son sentiment réel, qui est que Rumney est responsable de la mort de sa fille. Au début, elle tente de faire inculper Ralph pour le meurtre de Pegeen. N'y parvenant pas, elle le fera accuser de non-assistance à personne en danger – un délit dans le droit français. Ralph fuit Paris, et la police, pour trouver refuge dans une clinique dirigée par Félix Guattari, un psychothérapeute politiquement radical et ancien élève de Lacan. Au moment où Ralph repart en Angleterre, les Guggenheim et les Vail prennent en charge son fils Sandro – qu'il ne reverra plus pendant dix ans.

Dans le musée Peggy Guggenheim, une salle est dédiée à la mémoire et aux œuvres de Pegeen. Les toiles aux couleurs vives expriment une innocence nostalgique, une créativité rêveuse ; elles semblent être le fruit d'un effort émouvant pour retrouver la simplicité et la spontanéité de l'enfance. Certains aspects des tableaux sont plus haïtiens que vénitiens. Lorsqu'on connaît la sombre existence de Pegeen, on peut trouver difficile d'éviter de percevoir de la mélancolie dans ces représentations, un désir de s'échapper pour vivre au sein de familles heureuses, avec des amants innocents, dans la douceur naïve qu'elle a créée.

L'élément le plus frappant de la salle est la photographie de Pegeen. Car, aussi différentes qu'on puisse les imaginer, à la fois sur le plan physique et psychologique, mère et fille se ressemblent pourtant : Peggy avec ses cheveux teints en noir, coupés au carré et ses lèvres peintes en rouge ; Pegeen avec sa longue chevelure blonde ; la mère énergique, volontaire, spontanée et la fille, aussi timide et perturbée qu'une Ophélie. Leur ressemblance se trouve moins dans le physique (bien qu'on la perçoive aussi) que dans la posture. Pegeen porte la main à son cou et rentre le menton légèrement, comme un oiseau cachant sa tête sous ses plumes, semblant sur le point de parler mais hésitant un instant, encore inquiète de la manière dont ses propos seront accueillis – exactement comme sa mère dans ses jeunes années.

Chapitre XV

Une mort à Venise

Peggy survivra douze années à la mort de sa fille. Elle passe le plus clair de ce temps à réfléchir à la destination de son héritage. En 1969, le musée Guggenheim de New York expose une grande partie de sa collection. Si elle juge que l'architecture du bâtiment écrase et éclipse les tableaux (un reproche que l'on adressera au musée pour d'autres expositions), elle est cependant ravie d'être exposée au musée de son oncle et de l'engouement manifesté par la presse. Plus tard ce mois-là, elle prend la décision de transférer sa collection à la Fondation Guggenheim, qui en prendra soin à Venise. Le déménagement s'effectuera en 1976.

Au cours de ses dernières années, la santé de Peggy décline. Elle est atteinte d'une artériosclérose, qui la fait souvent souffrir. Elle est soignée pour hypertension, est victime d'une crise cardiaque et subit un certain nombre de chutes sérieuses. Elle prend toujours autant plaisir à faire la fête, à voir des amis et surtout à sillonner Venise en gondole – un délice qu'elle décrit magnifiquement dans la troisième version de ses mémoires, la plus complète et la plus exubérante, qu'elle rédige au cours des années 1970 et qui sera publiée juste avant sa mort, d'un AVC, en décembre 1979.

> On suppose toujours que Venise est la destination idéale pour une lune de miel. C'est une grave erreur. En vivant à Venise ou simplement en la visitant, on tombe amoureux de la ville elle-même. Il ne reste alors plus de place dans notre cœur pour qui que ce soit d'autre. Dès la première visite, on est condamné à y revenir à la moindre occasion, à la première excuse.

Le dernier chapitre des mémoires de Peggy contient quelques-uns des plus beaux textes qu'on ait jamais écrits sur Venise, une ville qui fit pourtant couler beaucoup d'encre. « On ne mène pas une vie normale à Venise. Ici, tout et tous voguent à vau-l'eau. […] C'est en flottant qu'on entre ou qu'on sort des restaurants, des magasins, des cinémas, des théâtres, des musées, des églises et des hôtels. […] Ce flottement, c'est la qualité intrinsèque de Venise. »

Avec un vrai talent d'écriture – une qualité qu'on lui reconnaît rarement –, Peggy Guggenheim décrit le rythme des marées montantes et descendantes, la clameur des cloches d'église, la manière dont l'Histoire se rappelle toujours au visiteur, qui toujours saisit des bribes

« de ce passé vivant de passions amoureuses, de fugues, d'enlèvements, de crimes passionnels, d'intrigues, d'adultères, de délations, de morts inexplicables, de jeux de hasard, de joueurs de luth et de chansons ». Et personne n'a mieux dépeint la lumière vénitienne, capturée par Canaletto dans ses peintures. « À mesure que progressent les heures, la lumière devient de plus en plus violette jusqu'à envelopper la ville d'un halo de diamant. [...] Si quelque chose peut rivaliser avec Venise dans sa beauté, ce ne peut être que son propre reflet dans le Grand Canal au coucher du soleil. »

Aujourd'hui, les visiteurs de la collection Peggy Guggenheim peuvent admirer le mélange de modernité et de tradition qui rend ce musée unique. La hauteur sous plafond, les dimensions généreuses des pièces et les cheminées intactes rappellent les origines du palais au XVIIIe siècle, mais les dorures et les rinceaux qui caractérisent tant d'intérieurs vénitiens en sont absents, offrant de simples murs blancs qui conviennent parfaitement à la présentation des œuvres.

On ressent partout l'esprit et la présence de Peggy. Sa pierre tombale est dans le jardin, à côté d'une autre plaque qui annonce « Ici reposent les bébés bien-aimés » et énumère ses chiens chéris, dont beaucoup portaient le nom d'amis ou de proches. L'inscription que Jenny Holzer a gravée sur le banc en pierre, légué à la Fondation Solomon R. Guggenheim après la mort de Peggy, n'est pas une citation authentique, mais quelque chose que

Peggy aurait pu dire : « Savourez la gentillesse, car la cruauté peut toujours lui succéder. »

Mais bien sûr, la caractéristique la plus extraordinaire du palais, et ce qui motive les visiteurs, c'est la magnifique collection de Peggy. On ne peut s'empêcher d'être frappé par l'œil extraordinaire de cette femme, par l'incroyable diversité des œuvres qu'elle a pu accumuler, et par la sagesse et la perspicacité qu'elle a démontrées dans son choix (et son écoute) de conseillers avisés et précieux.

Dans le hall d'entrée se trouvent des toiles de Picasso et un mobile Calder. Ailleurs, des peintures d'Ernst, Miró, Kandinsky, Malevitch, Klee, Mondrian, Léger, Braque, Mark Rothko, Clyfford Still, Francis Bacon et, bien sûr, Jackson Pollock – représenté ici par plusieurs œuvres, dont *Alchemy* (1947), l'une de ses premières peintures réalisées selon la technique du déversement. On découvre également des souvenirs célébrant les relations intimes et professionnelles de Peggy avec les artistes : la jolie tête de lit en argent qu'elle a commandée à Alexander Calder, les boucles d'oreilles bariolées et spectaculaires que Calder et Yves Tanguy ont dessinées spécialement pour elle et qu'elle portait à l'ouverture de sa galerie Art of This Century.

En visitant la collection Peggy Guggenheim, on est ému, impressionné, voire sidéré, par l'ampleur de cette réalisation. L'édifice en lui-même est splendide, reflétant les modifications voulues par Peggy – l'une des plus significatives était d'arracher la vigne vierge qui recouvrait la façade de pierre blanche un peu sévère. Ce mélange

Façade extérieure du musée Guggenheim à Venise.

des styles et des siècles, réalisé d'une manière assurée, légèrement téméraire et ingénieusement subtile, se poursuit dans tout le musée, à travers les nobles proportions vénitiennes des pièces, aux murs dépouillés de l'esthétique chargée et dorée si typique de Venise, et peints en blanc pour mieux mettre entre valeur les œuvres de Picasso et Pollock, de Brancusi, Calder et Braque.

Le Palazzo Venier dei Leoni représente l'aboutissement des talents particuliers de Peggy Guggenheim, dont celui de dénicher des demeures d'exception et de les adapter à ses besoins. La maison qu'elle partagea avec Laurence Vail dans le sud de la France, Hayford Hall où elle habita avec John Ferrar Holms, le majestueux appartement de l'East Side à Manhattan où son mariage avec Max Ernst commença à battre de l'aile avant de s'effondrer – tous ces lieux sont surpassés par le palais, qu'elle recherella et attendit patiemment pendant des années. Il est situé dans le Dorsoduro, près des Galeries de l'Académie, un quartier ravissant et relativement silencieux – sauf en pleine saison touristique.

Dans sa configuration actuelle, la collection Peggy Guggenheim vous invite à parcourir une suite de salles belles mais modestes, qui laissent peu de risque (comme Peggy le craignait, dans sa galerie de la 57e Rue) de voir le décor entrer en concurrence avec les œuvres. On est souvent surpris qu'une personne seule, même épaulée par des conseillers, soit parvenue à réunir un tel ensemble, constitué d'un si grand nombre de réalisations de premier ordre, signées par autant de grands artistes, et dont chaque pièce semble exemplaire – toutes largement dignes du temps et de l'attention que le spectateur choisit de leur consacrer. C'est d'ailleurs un défi pour le visiteur de conserver toute sa concentration. Car, alors qu'on contemple un merveilleux Picasso, on est soudain happé par un Miró, et ensuite captivé par les œuvres de Paul Klee ou de Francis Bacon. On pourrait passer des heures à contempler chacun des tableaux de Jackson Pollock. Mais il y a aussi *L'Oiseau dans l'espace* de Brancusi, et sur le manteau de la cheminée se trouve une boîte de Joseph Cornell contenant un diorama magique : un château de conte de fées, cerné d'arbres dénudés par l'hiver. Le personnel d'accueil, essentiellement jeune et international, semble apprécier l'opportunité de se mettre sciemment au service de l'une des collections d'art moderne les plus importantes au monde.

Philip Rylands, un homme à l'œil vif et au ton posé, m'accorde un rendez-vous dans le café moderne situé en face du jardin du musée. Il confirme volontiers la vision de Peggy que je me suis forgée à partir de mes lectures et recherches – une image plus sympathique que celle que l'on retrouve dans certaines de ses biographies – comme *Art Lover* par Anton Gill, au jugement sévère – ou dans ses incarnations peu flatteuses en fiction – comme dans la nouvelle de Mary McCarthy, *The Cicerone*.

« Elle était très modeste, dit Rylands, et pourtant, elle a marqué le XXᵉ siècle d'une empreinte étonnante, en

rassemblant l'une des plus remarquables et sensation-
nelles collections d'art moderne. Elle était fascinée par
les gens et par la manière dont ils communiquaient entre
eux. C'est en partie la raison pour laquelle elle tenait le
salon le plus international à Venise. Son goût des autres
venait en partie de son désir sincère de les connaître en
profondeur. Elle n'était jamais banale, ne disait jamais
rien qui s'apparente à des clichés. Toutes ses paroles
étaient l'expression directe de ses pensées – et elle pensait beaucoup. Elle avait bien peur d'être exploitée pour
sa fortune, mais elle était généreuse – généreuse envers
ses enfants et ses petits-enfants, envers les artistes et les
écrivains qu'elle soutenait et admirait. »

Quand je lui demande ce qu'il aimerait surtout dire sur
Peggy Guggenheim, ce qui d'après lui mériterait d'être
souligné, il répond : « Eh bien, je suppose que la chose
la plus importante qu'on puisse dire, c'est de rappeler la
citation de Lee Krasner : "Elle l'a fait !" »

C'est jour de carnaval à Venise, et je me suis arrêtée
pour me reposer dans un café situé au bord du Campo
Sant'Aponal – à la fois pour fêter le fait d'avoir retrouvé
mon chemin après avoir erré un bon moment et aussi
parce que l'une des tables déborde de jeunes Vénitiens
costumés en gangsters de Chicago des années 1920.
C'est amusant de les voir fumer des Gauloises et parler
la bouche de travers, dans ce qu'ils imaginent être le
style d'Al Capone.

Lorsque le cafetier (dont le déguisement inclut un
gros nœud papillon à pois) m'apporte mon café et ma

frittelle (un beignet fourré à la crème citron, cette pâtisserie populaire pendant la saison festive), il me demande d'où je viens.

– Ah, New York ! Une ville magnifique.

– Merci, dis-je en ajoutant une évidence : Venise est aussi une ville magnifique.

– Ah, mais New York ! New York, c'est la ville de Jasper Johns, Franz Kline. Robert Rauschenberg.

Ai-je entendu parler de Robert Rauschenberg ? Je réponds que oui, je connais un peu l'art, en fait, je suis venue à Venise pour écrire sur Peggy Guggenheim... Son visage s'illumine :

– Ah, la Peggy !

Il me raconte comment jeune homme, « jeune artiste », il avait l'habitude de se lever et de saluer « la Peggy » tandis qu'elle glissait dans sa gondole privée, pour l'une de ses chères promenades nocturnes à travers les canaux, avec son petit chien sur les genoux. Son « Pi-ki-nois » ! Sais-je qu'elle a apporté l'art moderne à Venise, qui a transformé la ville pour toujours ? Que c'est seulement grâce à « la Peggy » que les Italiens ont entendu parler d'expressionnisme abstrait ? Ai-je visité son musée ? Ai-je vu les Jackson Pollock ?

À l'intérieur du café, il me montre, sur le mur, une photo de Peggy Guggenheim, assez âgée et plutôt belle – sous certains aspects, plus belle qu'elle ne l'était dans sa jeunesse. Ses cheveux blancs soigneusement apprêtés, elle porte avec majesté une robe en métal doré, son chien comme une peluche blanche niché sur ses genoux.

Sur la photo, comme dans le film *L'Ultima Dogaressa* qu'on tourna sur elle dans ses dernières années, Peggy parvient à combiner le port royal d'une reine en fin de règne avec l'embarras d'une fillette nerveuse. Je n'ai pas le cœur de dire à l'admirateur de « la Peggy » que le chien n'est pas un « Pi-ki-nois », mais un Lhassa Apso.

Presque quarante ans après sa mort, Peggy Guggenheim demeure une héroïne aux yeux de nombreux Vénitiens, dont notre cafetier amateur d'art.

Peggy Guggenheim a acquis des œuvres d'art extraordinaires, elle a rassemblé une collection majeure, qu'elle a sauvée et préservée dans des situations très difficiles, elle a fait transporter plus d'une centaine de peintures et de sculptures d'un continent à l'autre, jusqu'à leur trouver pour refuge une ville que les gens auraient toujours le désir de visiter, où la beauté des lieux amènerait les visiteurs à s'intéresser à l'art, à des œuvres plus modernes mais non moins inspirées que celles de Titien et du Tintoret, au sein d'une collection représentant un long et glorieux chapitre d'une histoire qui remonte aux peintures rupestres de la grotte Chauvet et qui continue de se projeter vers l'avenir.

Note sur les sources

J'ai cité de larges extraits des mémoires de Peggy Guggenheim, *Out of This Century*, publiés en 1946 et réédités en 1979, l'année de son décès, avec des ajouts importants et le rétablissement de la véritable identité des personnes citées (contrairement à la première édition). Le ton littéraire de Peggy, charmant, humoristique et si particulier, est aussi révélateur de son caractère que le moindre des événements qu'elle décrit. C'est une lecture que je recommande vivement. Mais puisque, de toute évidence, Peggy préférait parfois une bonne histoire à la stricte authenticité des faits, j'ai consulté les nombreux ouvrages, de non-fiction comme de fiction, qu'on a écrits (ou basés) sur son existence mouvementée.

La première des biographies, *Peggy. The Wayward Guggenheim*, autorisée par Peggy Guggenheim, fut écrite par Jacqueline Bograd Weld, sur un ton agréable de conversation et de confidence. *Mistress of Modernism*, l'ouvrage le plus récent, le plus fouillé et le plus complet, rédigé dans une langue élégante par Mary V. Dearborn et publié en 2004, est malheureusement épuisé. *Art Lover*, par Anton Gill, la seule longue biographie actuellement disponible, propose des anecdotes et des informations intéressantes, mais cache souvent mal la désapprobation et le dédain de l'auteur à l'égard de son sujet.

Publié par Susan Davidson et Philip Rylands, *Peggy Guggenheim and Frederick Kiesler. The Story of Art of This Century* fut pour moi une ressource ô combien précieuse. Ce beau livre, richement illustré et extrêmement instructif, comprend un essai biographique, certes très concis, mais complet et éclairé, signé par Rylands. D'autres essais se concentrent sur la carrière de Frederick Kiesler, qui dessina la galerie Art of This Century, et sur sa collaboration avec Peggy. Mais cet ouvrage remarquable présente en plus un compte rendu de chaque exposition qui fut proposée à la Daylight Gallery, tant du point de vue des œuvres exposées que de l'accueil critique et jusqu'aux invités qui assistèrent au vernissage. La généreuse sélection de photographies et de plans architecturaux nous apprend tout ce qu'il est possible de savoir sur Art of This Century du temps de son existence.

La meilleure façon d'apprécier l'envergure et la richesse de la collection de Peggy Gugghenheim est, bien sûr, de la visiter à Venise. À défaut, on lira avec intérêt le catalogue raisonné, à la fois conséquent, certifié et largement illustré, qu'en a dressé Angelica Zander Rudenstine.

On prend mesure de la brillante et pertinente expertise de Peggy en comptabilisant les biographies dans lesquelles elle apparaît. J'ai rempli une étagère complète avec les ouvrages consacrés aux personnalités qui la fréquentèrent. Parmi les plus remarquables, citons *Duchamp* par Calvin Tompkins, *Samuel Beckett* par Deirdre Bair, *Becoming Modern. The Life of Mina Loy* par Carolyn Burke ; *Kay Boyle. Author of Herself* par Joan Mellen, *A Little Original Sin. The Life and Work of Jane Bowles* par Millicent Dillon, et deux biographies de Djuna Barnes, par Andrew Field et Philip Herring. D'un intérêt particulier sont les ouvrages concernant ou suivant la période où Peggy partagea une maison dans la campagne britannique avec une série de femmes écrivains. Édité par Elizabeth Podnieks, *Rough Draft*, le journal intime d'Emily Coleman, plein de vie et de passion, fut pour moi une révélation.

Peggy apparaît également, de manière plus ou moins reconnaissable, dans des œuvres de fiction. La « Cicérone » de Mary McCarthy dépeint une Peggy à peine dissimulée sous les traits de Polly Grabbe et brosse ainsi un portrait d'une authenticité unique – et qui fut bien utile pour mon travail – d'une Peggy telle qu'elle apparaissait pour des amis qui ne l'appréciaient que modérément. Son évocation *via* le personnage de Molly, dans *Of Mortal Love* de William Gerhardie, n'est guère plus flatteuse, mais tout aussi révélatrice.

Les récits de souvenirs où l'on croise Peggy sont parmi les ouvrages les plus divertissants et les plus instructifs.

Dans *A Not-So-Still Life*, Jimmy Ernst est peut-être le seul à offrir une vision empathique et bienveillante de Peggy, tout en proposant un récit saisissant des débuts de sa galerie new-yorkaise et de son mariage difficile avec le père de l'auteur, Max Ernst. Réédités par New York Review Books, les mémoires romancés de John Glassco, *Memoirs of Montparnasse*, présentent une évocation frappante du Paris de l'époque et, plus brièvement, des relations entre Peggy et Laurence Vail. Le *High Diver* de Michael Wishart est un livre qui mérite d'être constamment disponible : c'est une autobiographie spirituelle, bienveillante et truffée d'anecdotes, écrite par un homme qui rencontra autant de personnages intéressants (et parfois les mêmes) que Peggy.

Pour finir, *An Accidental Autobiography. The Selected Letters of Gregory Corso*, publié par Bill Morgan, offre un récit intime et assez magnifique de l'expérience d'un homme qui suscita la passion de Peggy, dans ses dernières années.

Bibliographie

BAIR, Deirdre, *Samuel Beckett. A Biography*, New York, Simon & Schuster, 1978 (rééd. 1990).

BARNES, Djuna, *Nigthwood*, New York, New Directions, 1937 (rééd. 2006).

BECKETT, Samuel, *The Letters of Samuel Beckett*, I, *1929-1940*, New York, Cambridge University Press, 2009.

BENSTOCK, Shari, *Women of the Left Bank. Paris, 1900-1940*, Austin, University of Texas Press, 1987.

BERNIER, Rosamond, *Some of My Lives. A Scrapbook Memoir*, New York, Farrar, Straus & Giroux, 2011.

BIRMINGHAM, Stephen, *Our Crowd. The Great Jewish Families of New York*, Syracuse, Syracuse University Press, 1967 (rééd. 1996).

BOWLES, Jane, *Two Serious Ladies*, New York, Ecco, 1943 (rééd. 2014).

BURKE, Carolyn, *Becoming Modern. The Life of Mina Loy*, New York, Farrar, Straus & Giroux, 1996.

COLEMAN, Emily, *Rough Draft. The Modernist Diaries of Emily Holmes Coleman (1929-1937)*, Elizabeth Podnieks & Sandra Chair (éd.), Newark, University of Delaware Press, 2012.

COLEMAN, Emily, *The Shutter of Snow*, 1930, rééd. Champaign, Dalkey Archive, 2007.

CORSO, Gregory, *An Accidental Autobiography. The Selected Letters of Gregory Corso*, Bill Morgan (éd.), New York, New Directions, 2003.

CRONIN, Anthony, *Samuel Beckett. The Last Modernist*, New York, Da Capo, 1997 (rééd. 1999).

DAVIDSON, Susan, RYLANDS, Philip, *Peggy Guggenheim and Frederick Kiesler. The Story of Art of This Century*, Venise, Peggy Guggenheim Collection, 2004.

DAVIS, John H., *The Guggenheims (1848-1988). An American Epic*, New York, William Morrow, 1988.

DEARBORN, Mary V., *Mistress of Modernism. The Life of Peggy Guggenheim*, Boston, Houghton Mifflin, 2004.

DILLON, Millicent, *A Little Original Sin. The Life and Work of Jane Bowles*, New York, Holt, Rinehart & Winston, 1981.

DORTCH, Virginia M., *Peggy Guggenheim and Her Friends*, Milan, Berenice, 1994.

ERNST, Jimmy, *A Not-So-Still Life. A Child of Europe's Pre-World War II Art World and His Remarkable Homecoming to America*, New York, St. Martin's Press, 1984.

FIELD, Andrew, *Djuna. The Life and Times of Djuna Barnes*, New York, G.P. Putnam's Sons, 1983.

GERHARDIE, William, *Of Mortal Love*, New York, St. Martin's Press, 1925 (rééd. 1947).

GILL, Anton, *Art Lover. A Biography of Peggy Guggenheim*, New York, Harper Collins, 2002.

GLASSCO, John, *Memoirs of Montparnasse*, New York, Oxford University Press, 1970 (rééd. New York Review Books, 2007).

GOLDMAN, Emma, *Living My Life*, New York, Penguin Books, 1931-1934 (rééd. 2006).

GOLDSTEIN, Malcolm, *Landscape with Figures. A History of Art Dealing in the United States*, New York, Oxford University Press, 2000.

GUGGENHEIM, Peggy, *Out of This Century*, New York, Dial, 1946 ; révisé et augmenté, New York, Universe, 1979.

GUGGENHEIM, Peggy, *Confessions of an Art Addict*, New York, Ecco, 1960 (rééd. 1997).

BIBLIOGRAPHIE

HARRING, Philip, *Djuna. The Life and Work of Djuna Barnes*, New York, Viking, 1995.

JENISON, Madge, *Sunwise Turn. A Human Comedy of Bookselling*, New York, Dutton, 1924.

JOSEPHSON, Matthew, *Life Among the Surrealists*, New York, Holt, Rinehart & Winston, 1962.

KIERNAN, Frances, *Seeing Mary Plain. The Life of Mary McCarthy*, New York, Norton, 2002.

LEVIN, Gail, *Lee Krasner. A Biography*, New York, William Morrow, 2011.

MANN, Carol, *Paris Between the Wars*, New York, Vendome, 1996.

McCARTHY, Mary, *Cast a Cold Eye*, New York, Harcourt Brace, 1950 (rééd. 1992).

MELLEN, Joan, *Kay Boyle. Author of Herself*, New York, Farrar, Straus & Giroux, 1994.

MORGAN, Ted, *Literary Outlaw. The Life and Times of William S. Burroughs*, New York, Holt, 1988.

MUIR, Edwin, *An Autobiography*, St. Paul, Graywolf, 1990.

PODNIEKS, Elizabeth, CHAIR, Sandra, *Hayford Hall. Hangovers, Erotics and Modernist Aesthetics*, Carbondale, Southern Illinois University Press, 2005.

POLIZZOTTI, Mark, *Revolution of the Mind. The Life of André Breton*, New York, Farrar, Straus & Giroux, 1995.

RIDING, Alan, *And the Show Went On. Cultural Life in Nazi-Occupied Paris*, New York, Knopf, 2010.

RUDENSTINE, Angelica, *Peggy Guggenheim Collection, Venice, the Solomon R. Guggenheim Foundation*, New York, Harry Abrams, 1985.

RUSSELL, John, *Max Ernst. Life and Work*, New York, Abrams, 1967.

SALOMON, Deborah, *Jackson Pollock. A Biography*, New York, Simon & Schuster, 1987.

SAWYER-LAUCANNO, Christopher, *An Invisible Spectator. A Biography of Paul Bowles*, New York, Weidenfeld & Nicolson, 1989.

TANNING, Dorothea, *Birthday*, San Francisco, Lapis, 1986.

TOMKINS, Calvin, *Duchamp. A Biography*, New York, Henry Holt, 1996.

VAIL, Laurence, *Murder! Murder!*, Londres, Peter Davies, 1931.

WELD, Jacqueline Bograd, *Peggy. The Wayward Guggenheim*, New York, Dutton, 1986.

WISHART, Michael, *High Diver. An Autobiography*, Londres, Quartet, 1978.

Crédits

Extraits

Peggy Guggenheim : nombreux extraits de *Confessions of an Art Addict* par Peggy Guggenheim, publié en 1960. Avant-propos par Gore Vidal publié en 1979. Reproduits avec l'autorisation d'Harper Collins Publishers.

Emily Coleman : extraits de *Rough Draft. The Modernist Diaries of Emily Holmes Coleman (1929-1937)*, édité par Elizabeth Podnieks et Sandra Chair (Newark, University of Delaware Press, 2012). Reproduits avec l'autorisation de l'Estate of Emily Holmes Coleman.

Extraits des lettres de Gregory Corso, provenant d'*An Accidental Autobiography* publié en 2003 par New Directions Publishing Corp. Reproduits avec la permission de New Directions Publishing Corp.

Virginia M. Dortch : extraits de *Peggy Guggenheim and Her Friends* de Virginia M. Dortch (Milan, Berenice, 1994). Reproduits avec l'autorisation de l'Estate of Virginia M. Dortch.

Illustrations

Page 8 : Avec l'aimable autorisation d'Archivio Cameraphoto Epoche. Cadeau, Cassa di Risparmio di Venezia, 2005. Fondation Solomon R. Guggenheim.

Index

INDEX

Table